JACKIE SILBERG

Bébés contents

De 24 à 36 mois

115 jeux pour amuser et stimuler votre bambin

PUBLIÉ CHEZ LE MÊME ÉDITEUR :

Collection *Bébés contents* : des jeux amusants pour stimuler le développement général de votre enfant :

Bébés contents de 0 à 12 mois

Bébés contents de 12 à 24 mois

Bébés contents de 24 à 36 mois

Collection *Bébés génies* : des jeux pour stimuler les capacités cérébrales de votre enfant :

Bébés génies de 0 à 12 mois

Bébés génies de 12 à 36 mois

Collection *Pas à Pas* : pour vous guider à chaque stade du développement de votre enfant :

Les enfants de 1 à 3 ans : Les tout-petits

Les enfants de 3 à 5 ans : l'âge préscolaire

Les enfants de 6 à 8 ans : les premières années d'école

Les enfants de 9 à 12 ans : Les préadolescents

Jackie Silberg

Bébés contents

De 24 à 36 mois

115 jeux pour amuser et stimuler votre bambin

Illustrations de Nancy Isabelle Labrie

Adaptation française d'Isabelle Allard

Guy Saint-Jean
ÉDITEUR

Catalogage avant publication de Bibliothèque et Archives nationales du Québec et Bibliothèque et Archives Canada

Silberg, Jackie, 1934-
Bébés contents, de 24 à 36 mois
Traduction de: Games to play with two year olds.
Comprend un index.
ISBN 978-2-89455-279-7
1. Jeux. 2. Éducation de la première enfance - Méthodes actives.
3. Activité motrice chez l'enfant. I. Titre. II. Titre: Bébés contents,
de vingt-quatre à trente-six mois.
GV1203.S53814 2008 790.1'922 C2008-941214-1

Nous reconnaissons l'aide financière du gouvernement du Canada par l'entremise du Programme d'Aide au Développement de l'Industrie de l'Édition (PADIÉ) ainsi que celle de la SODEC pour nos activités d'édition.

Patrimoine canadien Canadian Heritage Canada

Gouvernement du Québec — Programme de crédit d'impôt pour l'édition de livres — Gestion SODEC

Publié originalement aux États-Unis par Gryphon House, Inc., 10726 Tucker Street, Beltsville MD 20705 sous le titre *Games to Play with Two Year Olds*.

Traduction: Isabelle Allard
Révision: Jeanne Lacroix
Conception graphique: Christiane Séguin
Illustrations: Nancy Isabelle Labrie, www.lesmainsreveuses.blogspot.com

Dépôt légal – Bibliothèque et Archives nationales du Québec, Bibliothèque et Archives Canada, 2008
ISBN 978-2-89455-279-7

Distribution et diffusion
Amérique: Prologue
France: Volumen
Belgique: La Caravelle S.A.
Suisse: Transat S.A.

Guy Saint-Jean Éditeur inc.
3154, boul. Industriel, Laval (Québec) Canada. H7L 4P7. 450 663-1777.
Courriel: info@saint-jeanediteur.com • Web: www.saint-jeanediteur.com

Guy Saint-Jean Éditeur France
48 rue des Ponts, 78290 Croissy-sur-Seine, France. (1) 39 76 99 43.
Courriel: gsj.editeur@free.fr

Imprimé au Canada

Dédicace

Pour la joie qu'apportent les tout-petits dans nos vies.

Remerciements

Merci à Kathy Charner,
la plus merveilleuse éditrice que puisse souhaiter
une auteure. Grâce à elle, les mots prennent vie.

Merci aux membres de l'équipe de Gryphon House,
qui ont uni leurs efforts pour produire
ce magnifique ouvrage.

Table des matières

De 32 à 36 mois

Mot de l'auteure

À l'époque où je venais d'avoir un bébé et découvrais les joies de la maternité, plusieurs amies dont les enfants étaient plus âgés m'ont parlé de la crise des deux ans. Elles m'ont prévenue que mon enfant se transformerait alors en véritable monstre.

Lorsque mon fils a eu deux ans, je m'attendais donc à toutes sortes de comportements négatifs. Au lieu de cela, je me suis retrouvée avec un adorable bambin, charmant, curieux, intéressant et rempli de joie de vivre.

Mon fils était-il différent des autres? Pas du tout! Bien que ce mythe ait la vie dure, la vérité est qu'un enfant de deux ans est une source de plaisir et d'émerveillement. Ce petit qui s'efforce de devenir indépendant («non!», «Je ne veux pas!», «Je peux le faire tout seul!») a besoin de notre amour et de notre soutien.

Le fait de permettre à votre enfant de prendre des initiatives et de s'affirmer est l'un des plus beaux cadeaux que vous puissiez lui offrir.

Comme vous avez de la chance d'avoir un enfant de deux ans!

JACKIE SILBERG

Étapes du développement

Bien que le développement de chaque enfant soit unique, les habiletés qui suivent sont généralement acquises entre deux et trois ans.

Habiletés motrices, auditives et visuelles

Aime écouter la même histoire à maintes reprises
A suffisamment de coordination main-œil pour reproduire un trait
Saute sur un pied
Monte et descend les escaliers en plaçant un pied sur chaque marche
Court librement
Coupe du papier en manipulant des ciseaux d'une main
Saute à travers un cerceau de plastique
Se laisse glisser du haut d'une glissoire
Monte sur un tricycle (à l'approche de trois ans)
Saute et atterrit les pieds écartés ou un pied devant l'autre
Marche au pas
Se tient en équilibre sur une poutre
Montre une préférence pour la main gauche ou la main droite
Saute de hauteurs variées
Suit des consignes simples
Associe six couleurs de base
Réagit à la musique et au rythme en se balançant et en pliant les genoux

Capacités linguistiques et cognitives

Se parle à lui-même ou s'adresse à ses poupées
Comprend la notion de danger et s'éloigne des sources de danger
Répète des comptines en partie ou les récite avec vous
Comprend le concept du nombre un
Démonte des objets pour en comprendre le fonctionnement
Regroupe des objets en fonction de leur couleur, de leur forme ou de leur taille
Communique des idées simples au moyen de phrases courtes
Démonte et assemble des objets intentionnellement

Comprend le sens des mots «dedans», «dehors», «dessous»
Sait que différentes activités prennent place à divers moments de la journée
Verbalise des émotions, des désirs et des problèmes
Se souvient d'objets absents depuis peu de temps
Identifie les objets par leur utilité
A une imagination très vive
Commence à utiliser les pronoms
Demande sans cesse le nom des choses
Utilise la forme plurielle des mots

Image de soi
Trouve un endroit où jouer
Veut aider ses parents dans la maison
Met lui-même son manteau (sans le boutonner) et ses chaussures (sans les lacer)
Se nourrit à l'aide d'une fourchette, d'une cuillère et d'un verre
Aime jouer avec ses amis
Se nourrit seul
Boit dans un gobelet
Identifie des parties de son corps
Chante des strophes de chansons
Se brosse les dents
Réussit des casse-tête plus complexes
Aime parler au téléphone
Aime faire des balades avec un adulte
Dit son nom au complet lorsqu'on le lui demande
Parle de lui-même en utilisant son prénom
Va se chercher à boire
Accorde de l'importance à ses vêtements
Aide à ranger
Joue à faire semblant
Aime dire à qui appartiennent les objets

De
24
à
28
mois

Les animaux

• Découpez des photos d'animaux dans des magazines.

• Créez des cartes d'animaux en collant chaque photo sur du papier de bricolage ou du carton.

• Montrez les cartes à votre bambin et décrivez-les. Parlez du cri de chaque animal et de sa façon de bouger.

• Montrez-lui comment se déplace cet animal et encouragez-le à vous imiter. Exagérez vos mouvements pour qu'il puisse bien les saisir. Par exemple, un éléphant marche à pas lourds et lents, alors qu'un chaton se déplace à petits pas légers.

• Étalez les cartes sur une table et laissez votre enfant en choisir une. Demandez-lui de se déplacer comme cet animal.

* * *

Cette activité favorise :
La coordination

De
24
à
28
mois

À la ferme

Les enfants de deux ans adorent imiter les cris d'animaux. Ils sont très fiers de pouvoir produire différents sons.

• Feuilletez un livre sur les animaux et demandez à votre bambin quel est le cri de chacun.

• Prononcez les deux premières phrases de cette comptine, puis demandez-lui de répéter le cri de l'animal à la fin de la troisième:

À la ferme, les poules font cot, cot, cot!
À la ferme, les poules font cot, cot, cot!
Les poules font (l'enfant dit:) *cot, cot, cot!*

• Continuez en changeant les noms d'animaux:

À la ferme, les chiens font ouaf, ouaf, ouaf!
À la ferme, les canards font coin, coin, coin!
À la ferme, les moutons font bêê, bêê, bêê!
À la ferme, les chats font miaou, miaou, miaou!
À la ferme, les vaches font meuh, meuh, meuh!

Cette activité favorise :

La reconnaissance des sons

De 24 à 28 mois

Les mouvements

• Choisissez trois animaux connus de votre enfant. Un livre d'images sur les animaux est utile pour ce jeu.

• Regardez une photo d'animal, telle une grenouille, et parlez de sa couleur, de sa taille, de sa façon de se déplacer.

• Mettez-vous à quatre pattes et montrez-lui comment bouge une grenouille. S'il le sait déjà, le jeu sera encore plus amusant.

• Continuez avec l'animal suivant. Cette activité accroît le vocabulaire et développe la motricité.

• Voici d'autres animaux à imiter: des vers qui se tortillent, des lapins qui sautent, des poneys qui galopent, des serpents qui ondulent, des souris qui trottinent, des chatons qui bondissent.

• Et n'oubliez pas la façon dont vous bougez!

* * *

Cette activité favorise:
La coordination

De
24
à
28
mois

Montre-moi

Ce jeu aidera votre enfant à exécuter des consignes en l'encourageant à écouter vos paroles.

- Commencez chaque phrase par les mots: «Montre-moi comment...»
- Vous pouvez rendre ce jeu loufoque, ce qui plaira beaucoup à votre bambin.
- Dites et exécutez chaque action afin qu'il vous imite:

montre-moi comment tu touches ton épaule avec ta tête;
montre-moi comment tu touches la chaise avec ton oreille;
montre-moi comment tu touches le plancher;
montre-moi comment tu touches tes chevilles;
montre-moi comment tu touches mon cou...

- Félicitez-le chaque fois qu'il exécute une action correctement.

* * *

Cette activité favorise:
L'écoute

Les serpentins

De 24 à 28 mois

Les serpentins de papier crêpé constituent d'excellents accessoires pour accompagner divers mouvements. Vous pouvez faire toutes sortes de choses avec des serpentins: les faire tournoyer, onduler, flotter derrière vous...

• Faites jouer de la musique instrumentale pour votre enfant. Les serpentins l'aideront à se mouvoir plus facilement au son de la musique.

• Faites-lui entendre des mélodies lentes, des airs rapides et des rythmes endiablés.

• Vous pouvez apporter les serpentins à l'extérieur et courir en les faisant voler au vent.

* * *

Cette activité favorise :
La coordination

De 24 à 28 mois

Mes pieds

• Parlez à votre enfant des différentes choses qu'on peut faire avec nos pieds.

• Récitez le poème suivant en accomplissant les gestes indiqués:

Avec mes pieds, je peux marcher
Marche, marche, marche
Avec mes pieds, je peux sauter
Saute, saute, saute
Avec mes pieds, je peux courir
Cours, cours, cours
Avec mes pieds, je peux danser,
Danse, danse, danse
Mes pieds sont fatigués
Je vais me reposer!

* * *

Cette activité favorise:
L'écoute et la coordination

De 24 à 28 mois

Tourne, arrête!

Les enfants de deux ans adorent ce jeu, qui leur donne l'occasion de développer leur motricité et leur capacité d'écoute.

• Dites: «Tourne, et tourne, et tourne, et... arrête!» En même temps, marchez en rond dans la pièce, puis asseyez-vous sur une chaise au mot «arrête».

• Demandez à votre enfant de jouer avec vous. Tenez-le par la main ou laissez-le avancer seul.

• Une fois qu'il a compris le jeu, proposez-lui d'autres mouvements comme sauter, marcher sur la pointe des pieds, sauter à cloche-pied, ramper... Il adorera s'arrêter au moment voulu!

* * *

Cette activité favorise :
L'écoute

De 24 à 28 mois

L'avion

• Demandez à votre bambin d'étendre les bras de chaque côté.

• Montrez-lui comment courir dans la pièce comme s'il était un avion, en imitant le bruit du moteur.

• Dites-lui ensuite: «Maintenant, il faut atterrir!» Montrez-lui comment ralentir, puis se poser sur la piste.

* * *

Cette activité favorise:
L'imagination

Drôle de jeu

De
24
à
28
mois

Les bambins de cet âge fléchissent naturellement les genoux lorsqu'ils veulent ramasser quelque chose. S'accroupir est un excellent exercice pour votre enfant et vous.

- Placez-vous devant lui, les mains sur les hanches et les pieds écartés.
- Fléchissez les genoux et accroupissez-vous en disant: «Un.»
- Redressez-vous en disant: «Deux, drôle de jeu!»
- Refaites le mouvement à quelques reprises en répétant:

Un, deux,
drôle de jeu!

- Lorsqu'il commence à vous imiter, ajoutez des nombres:

Trois, quatre,
je traîne la patte!
Cinq, six,
j'ai mal aux cuisses!
Sept, huit,
un peu plus vite!
Neuf, dix
vive l'exercice!

* * *

Cette activité favorise:
L'équilibre

De 24 à 28 mois

Bonjour, bedon!

• Récitez le poème suivant en accomplissant les gestes indiqués:

Montre ton œil (désignez votre œil du doigt)
Montre ton nez (désignez votre nez)
Montre ton bedon (désignez votre ventre)
Montre tes orteils (désignez vos orteils)
Bonjour, œil! (clignez des yeux)
Bonjour, nez! (remuez le nez)
Bonjour, bedon! (frottez-vous le ventre)
Bonjour, orteils! (agitez les orteils)

• Prenez un ourson en peluche et répétez le poème en utilisant la patte de l'animal pour désigner les parties du corps de l'enfant.

• Suggérez-lui d'aider l'ourson.

* * *

Cette activité favorise :
La conscience du corps

La danse de l'ourson

• Prenez un animal en peluche et dansez avec lui devant votre bambin.

• Faites jouer différents types de musique.

• Exécutez des pas glissés ou très lents au son d'une musique douce.

• Sautez, bondissez, courez ou galopez au son d'un air rapide ou rythmé.

• Lorsque la musique est terminée, déposez l'ourson et dites-lui: «Merci, nounours, d'avoir dansé avec moi!»

* * *

Cette activité favorise :

L'éveil musical

De 24 à 28 mois

Une grenouille

• Récitez cette comptine à votre bambin:

Une grenouille, nouille, nouille,
qui se croyait belle,
elle monte à l'échelle,
monte jusqu'en haut
et puis saute à l'eau!

• Tout en la récitant, tenez sa main. Au mot «saute», sautez avec lui.

• Essayez de rester immobile jusqu'au mot «saute». Ce ne sera pas facile.

• Une fois qu'il comprend le jeu, placez un petit objet sur le sol afin qu'il saute par-dessus.

• Commencez avec un petit cube. Tenez sa main et aidez-le à franchir l'obstacle au moment voulu.

• Ajoutez d'autres objets à mesure qu'il réussit à les franchir en sautant.

* * *

Cette activité favorise:
La coordination

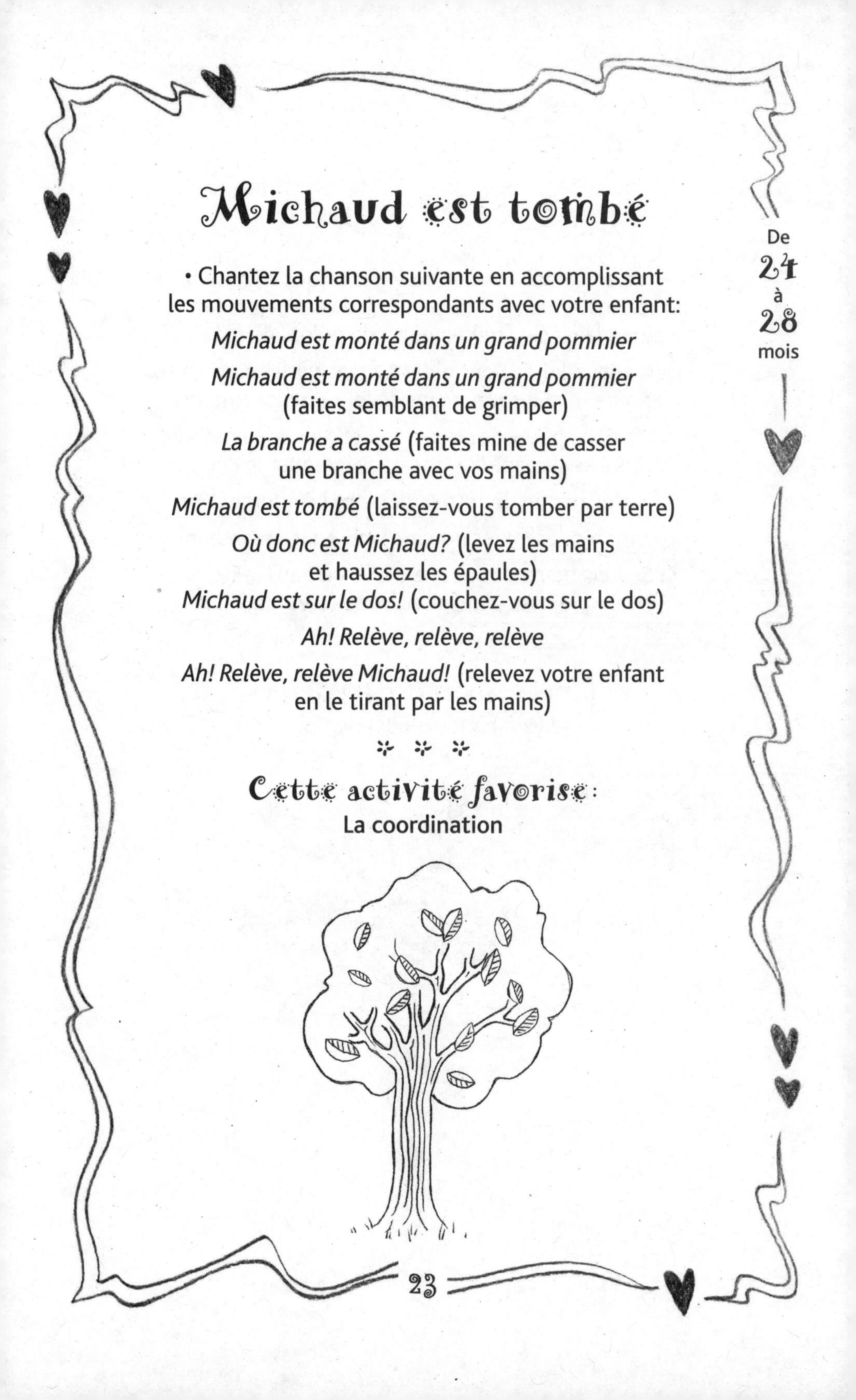

Michaud est tombé

De 24 à 28 mois

• Chantez la chanson suivante en accomplissant les mouvements correspondants avec votre enfant:

Michaud est monté dans un grand pommier

Michaud est monté dans un grand pommier (faites semblant de grimper)

La branche a cassé (faites mine de casser une branche avec vos mains)

Michaud est tombé (laissez-vous tomber par terre)

Où donc est Michaud? (levez les mains et haussez les épaules)
Michaud est sur le dos! (couchez-vous sur le dos)

Ah! Relève, relève, relève

Ah! Relève, relève Michaud! (relevez votre enfant en le tirant par les mains)

* * *

Cette activité favorise:

La coordination

De 24 à 28 mois

Les repères

• Partez en balade avec votre enfant. Tout en marchant, nouez des serpentins de papier à divers objets (arbre, lampadaire, clôture) en guise de points de repère.

• Demandez-lui de vous aider à attacher les serpentins afin de mieux se souvenir de leur emplacement.

• Après deux pâtés de maisons, dites-lui: «Maintenant, rentrons. Les serpentins vont nous indiquer le chemin.»

• Sur le chemin du retour, détachez les serpentins.

• Comptez-les en les nouant, puis en les reprenant.

• Si vous marchez sur une plage ou dans la neige, vos empreintes pourraient vous servir de jalons.

Cette activité favorise :

Les facultés d'observation

De
24
à
28
mois

Le foulard

Pour ce jeu, il vous faut un lecteur CD ou un magnétophone.

• Choisissez de la musique instrumentale légère et joyeuse.

• Montrez à votre enfant comment danser en agitant un foulard.

• Expliquez-lui que vous allez vous passer le foulard de l'un à l'autre jusqu'à ce que la musique cesse. À l'arrêt de la musique, la personne qui a le foulard doit s'en servir pour danser.

• Les tout-petits adorent ce jeu et ont très hâte d'être en possession du foulard. Il est possible que votre enfant n'attende pas le moment voulu pour se mettre à danser!

* * *

Cette activité favorise :
L'écoute

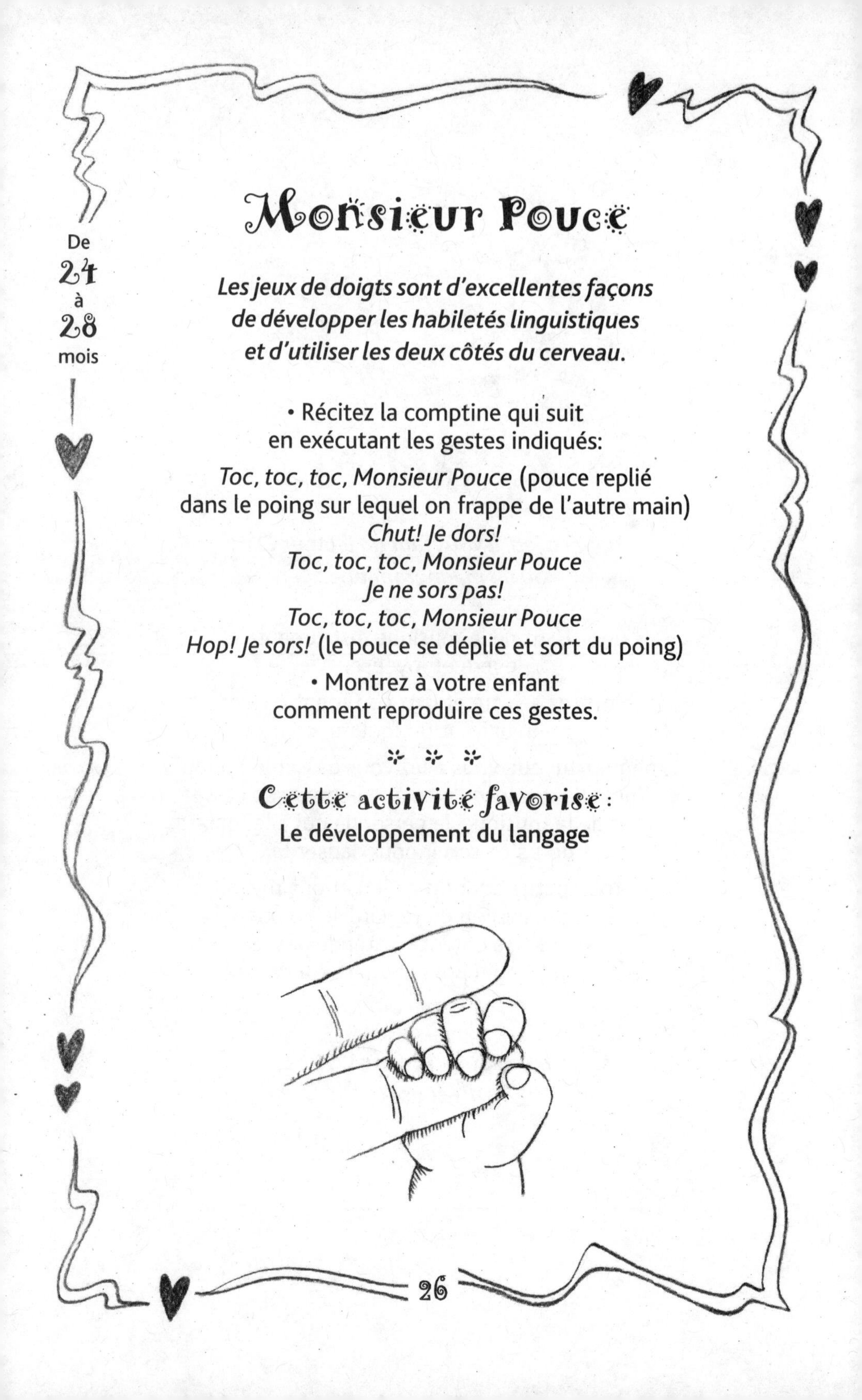

De 24 à 28 mois

Monsieur Pouce

Les jeux de doigts sont d'excellentes façons de développer les habiletés linguistiques et d'utiliser les deux côtés du cerveau.

• Récitez la comptine qui suit en exécutant les gestes indiqués:

Toc, toc, toc, Monsieur Pouce (pouce replié dans le poing sur lequel on frappe de l'autre main)
Chut! Je dors!
Toc, toc, toc, Monsieur Pouce
Je ne sors pas!
Toc, toc, toc, Monsieur Pouce
Hop! Je sors! (le pouce se déplie et sort du poing)

• Montrez à votre enfant comment reproduire ces gestes.

* * *

Cette activité favorise:

Le développement du langage

De 24 à 28 mois

La pluie

• Ce poème est une excellente façon de stimuler le développement du langage. Récitez-le à votre bambin:

La pluie sur l'océan
La pluie sur les champs
La pluie sur le toit
Mais pas sur moi!

• En disant le dernier vers, mettez vos mains sur vos hanches et secouez la tête vigoureusement de gauche à droite.

• Poursuivez en substituant des objets familiers aux mots du poème. Par exemple:

La pluie sur la télé
La pluie sur le plancher
La pluie sur le chat
Mais pas sur moi!

• Bientôt, votre enfant comprendra le jeu et vous suggérera d'autres objets. Terminez toujours le poème par les mots «Mais pas sur moi!»

* * *

Cette activité favorise:
L'enjouement

De 24 à 28 mois

Les pompiers

• Demandez à votre enfant de lever la main. Dites-lui qu'il a cinq doigts. Levez votre main et remuez chaque doigt en comptant jusqu'à cinq.

• Proposez-lui cet amusant jeu de doigts, excellent pour la coordination:

Nous sommes les capitaines des pompiers
(pouces dressés, poings fermés)
Êtes-vous prêts? (levez les index)
À vos marques... (ajoutez les majeurs)
Prêts? (ajoutez les annulaires)
Partez! Pin-pon! Pin-pon! (ouvrez et fermez les mains)

* * *

Cette activité favorise:
La coordination

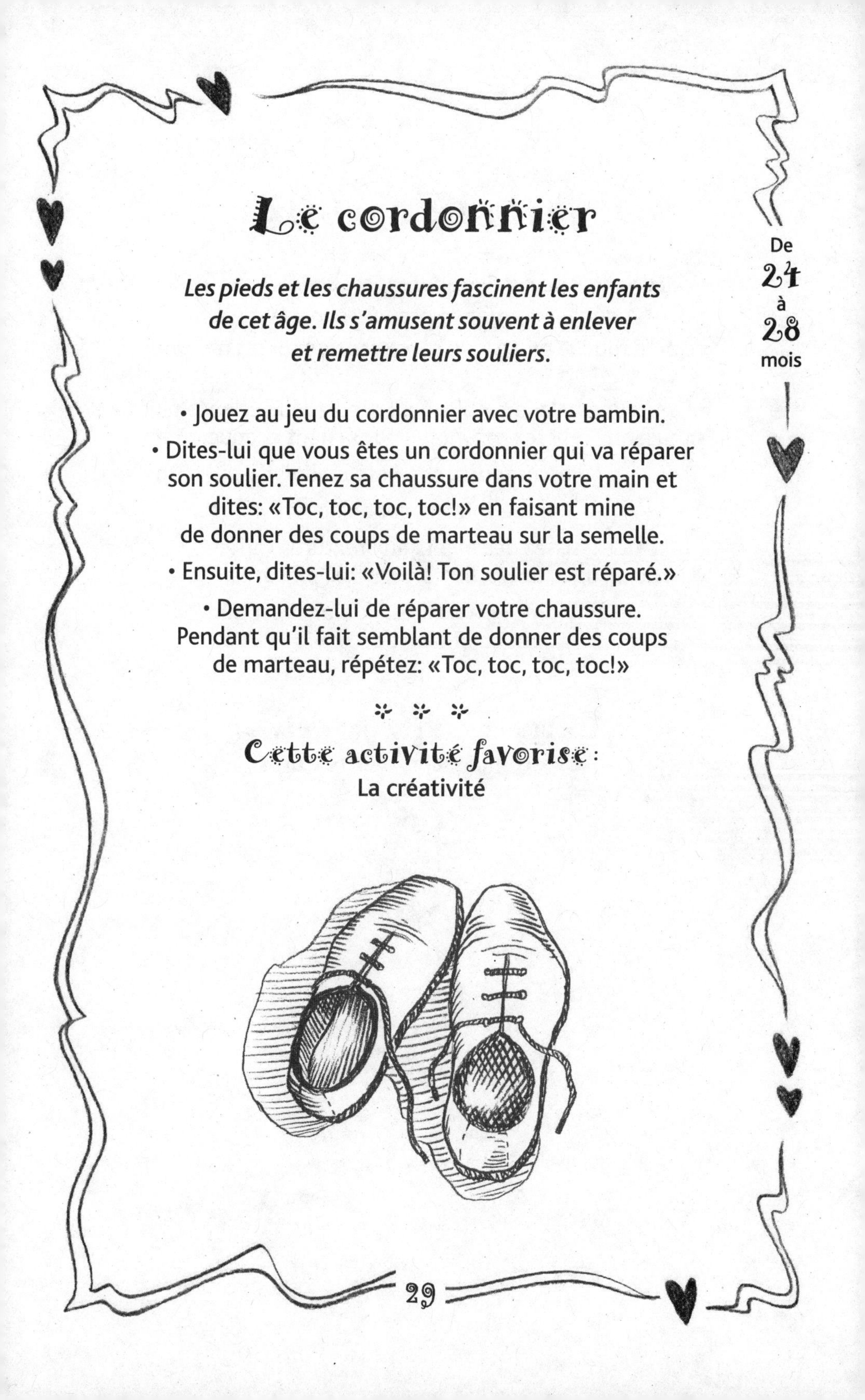

Le cordonnier

De 24 à 28 mois

Les pieds et les chaussures fascinent les enfants de cet âge. Ils s'amusent souvent à enlever et remettre leurs souliers.

• Jouez au jeu du cordonnier avec votre bambin.

• Dites-lui que vous êtes un cordonnier qui va réparer son soulier. Tenez sa chaussure dans votre main et dites: «Toc, toc, toc, toc!» en faisant mine de donner des coups de marteau sur la semelle.

• Ensuite, dites-lui: «Voilà! Ton soulier est réparé.»

• Demandez-lui de réparer votre chaussure. Pendant qu'il fait semblant de donner des coups de marteau, répétez: «Toc, toc, toc, toc!»

* * *

Cette activité favorise:

La créativité

Balade tactile

De 24 à 28 mois

Les petits de cet âge adorent toucher les choses. Aidez votre enfant à prendre conscience de ce qu'il touche en attirant son attention sur les textures.

- Faites une balade tactile. Pour rendre l'expérience plus amusante, répétez ces mots en touchant chaque objet:

Je vais toucher du bout du doigt

Je vais toucher cet objet-là!

- Choisissez des objets aux textures variées: doux, durs, froids, lisses, rugueux, piquants, etc.
- Comparez les textures: «Celui-ci est dur et celui-là est doux.»

⁂

Cette activité favorise:

La reconnaissance des textures

De
24
à
28
mois

La neige

Pourquoi ne pas apporter de la neige dans la maison afin que votre enfant s'en serve pour diverses activités?

• Voici quelques suggestions:

Déposer la neige dans un bol avec une cuillère;

y ajouter du colorant alimentaire;

la regarder fondre;

fabriquer de petites boules de neige;

faire un bonhomme de neige miniature et le mettre au congélateur.

* * *

Cette activité favorise:

La créativité

De 24 à 28 mois

Promenade sonore

Les enfants de deux ans manifestent une grande curiosité envers le monde qui les entoure. Ce jeu contribue à accroître leur conscience de leur milieu.

- Marchez à l'extérieur avec votre bambin et écoutez les sons environnants:

  le souffle du vent;

  le gazouillis des oiseaux;

  le bruissement des feuilles;

  le bruit des voitures;

  les aboiements;

  les conversations des gens.

- Parlez de ces sons avec lui et essayez de les imiter.

* * *

Cette activité favorise :

L'écoute

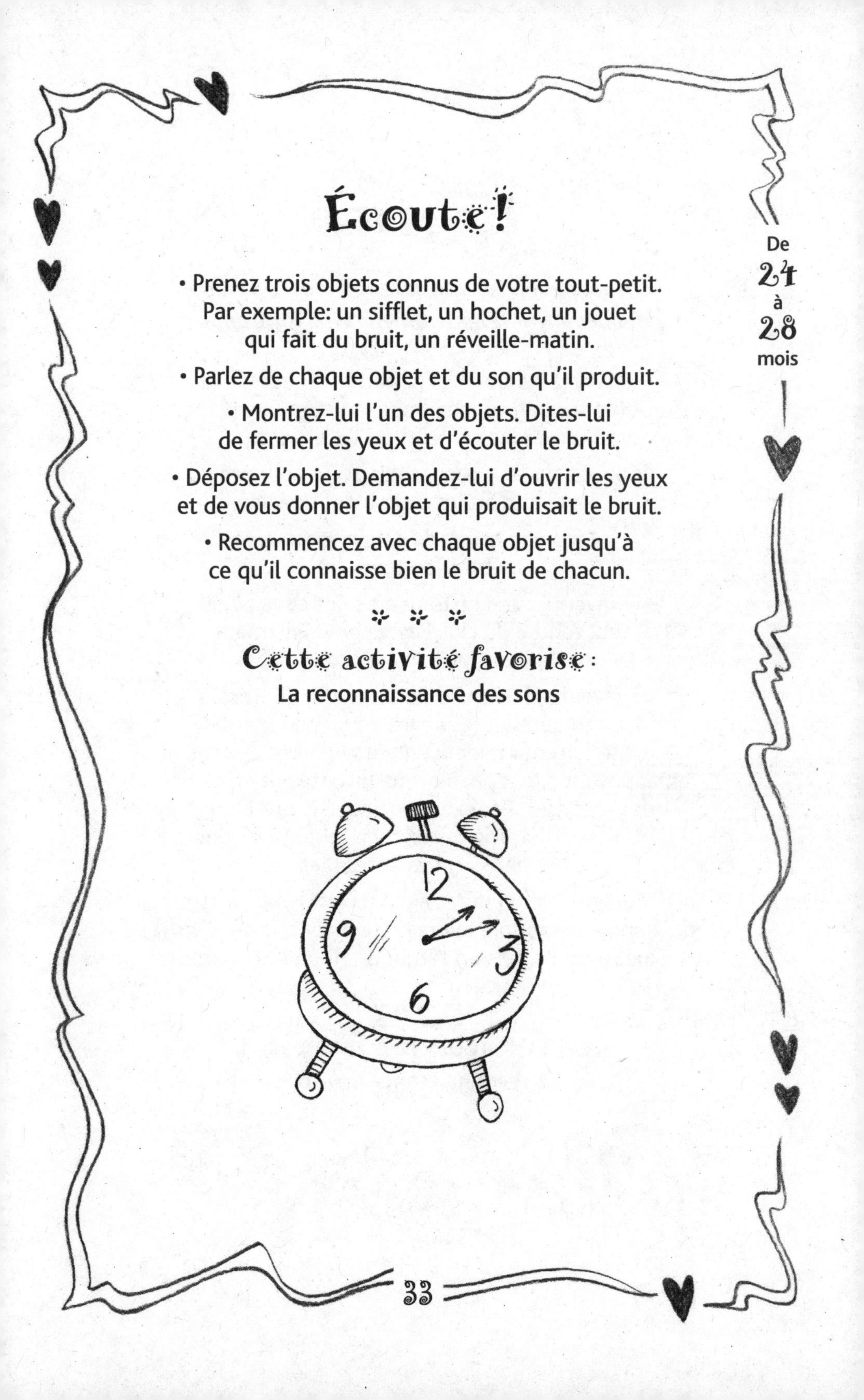

Écoute!

De 24 à 28 mois

• Prenez trois objets connus de votre tout-petit. Par exemple: un sifflet, un hochet, un jouet qui fait du bruit, un réveille-matin.

• Parlez de chaque objet et du son qu'il produit.

• Montrez-lui l'un des objets. Dites-lui de fermer les yeux et d'écouter le bruit.

• Déposez l'objet. Demandez-lui d'ouvrir les yeux et de vous donner l'objet qui produisait le bruit.

• Recommencez avec chaque objet jusqu'à ce qu'il connaisse bien le bruit de chacun.

* * *

Cette activité favorise :
La reconnaissance des sons

De
24
à
28
mois

Le piano

Il n'est pas nécessaire de savoir jouer du piano pour découvrir cet instrument avec votre enfant.

• Observez les touches et parlez de leur couleur. Appuyez sur une touche noire, puis sur une blanche. Nommez les couleurs en les enfonçant.

• Appuyez sur les touches de droite pour produire des petits bruits de gouttes de pluie.

• Enfoncez celles de gauche pour créer un bruit de tonnerre.

• Inventez une histoire au sujet de la pluie qui tombe du ciel. Passez graduellement des notes aiguës aux notes graves.

• Inventez une mélodie au piano. Choisissez deux touches et jouez-les de façon répétitive, en les alternant, doucement, vigoureusement, en appuyant sur la pédale, etc. Inventez des questions et des réponses. Par exemple, jouez la première note et dites: «Comment vas-tu?» Jouez la seconde et dites: «Je vais très bien.»

• Encouragez votre enfant à pianoter. Si vous n'avez pas de piano à la maison, faites cette activité avec d'autres instruments, tels un tambour ou une clochette.

Cette activité favorise:

La reconnaissance des sons

Papillons et coccinelles

De 24 à 28 mois

Voici une bonne façon d'améliorer les capacités d'écoute de votre enfant.

• Choisissez une chanson qu'il aime bien. Par exemple:

Je fais pipi sur le gazon
pour embêter les coccinelles.
Je fais pipi sur le gazon
pour embêter les papillons.
Pipi, gazon,
papillons et coccinelles,
pipi, gazon,
coccinelles et papillons!

• Chantez le premier vers et demandez-lui de le chanter avec vous.

• Chantez-le de nouveau d'une voix douce. En arrivant au mot «coccinelles», prononcez-le d'une voix plus forte.

• Chantez de nouveau le premier vers en omettant le mot «coccinelles» et en encourageant votre enfant à le dire.

• Une fois qu'il comprend le jeu, passez au deuxième vers.

• Vous pourrez bientôt chanter la chanson en entier, en omettant le dernier mot de chaque vers pour qu'il le prononce lui-même.

* * *

Cette activité favorise:
L'écoute

De 24 à 28 mois

Roule, roule

• Les jeux de mots sont des passe-temps tout indiqués pour la voiture. Essayez de scander les mots suivants:

Roule, roule en automobile,

Mon bébé reste tranquille!

Roule, roule en voiture,

Mon bébé regarde la nature!

Roule, roule en auto

Mon bébé fait un dodo!

• Reprenez en remplaçant le mot «bébé» par le prénom de votre enfant ou d'autres termes affectueux comme «mon trésor» ou «ma puce».

* * *

Cette activité favorise:

Le développement du langage

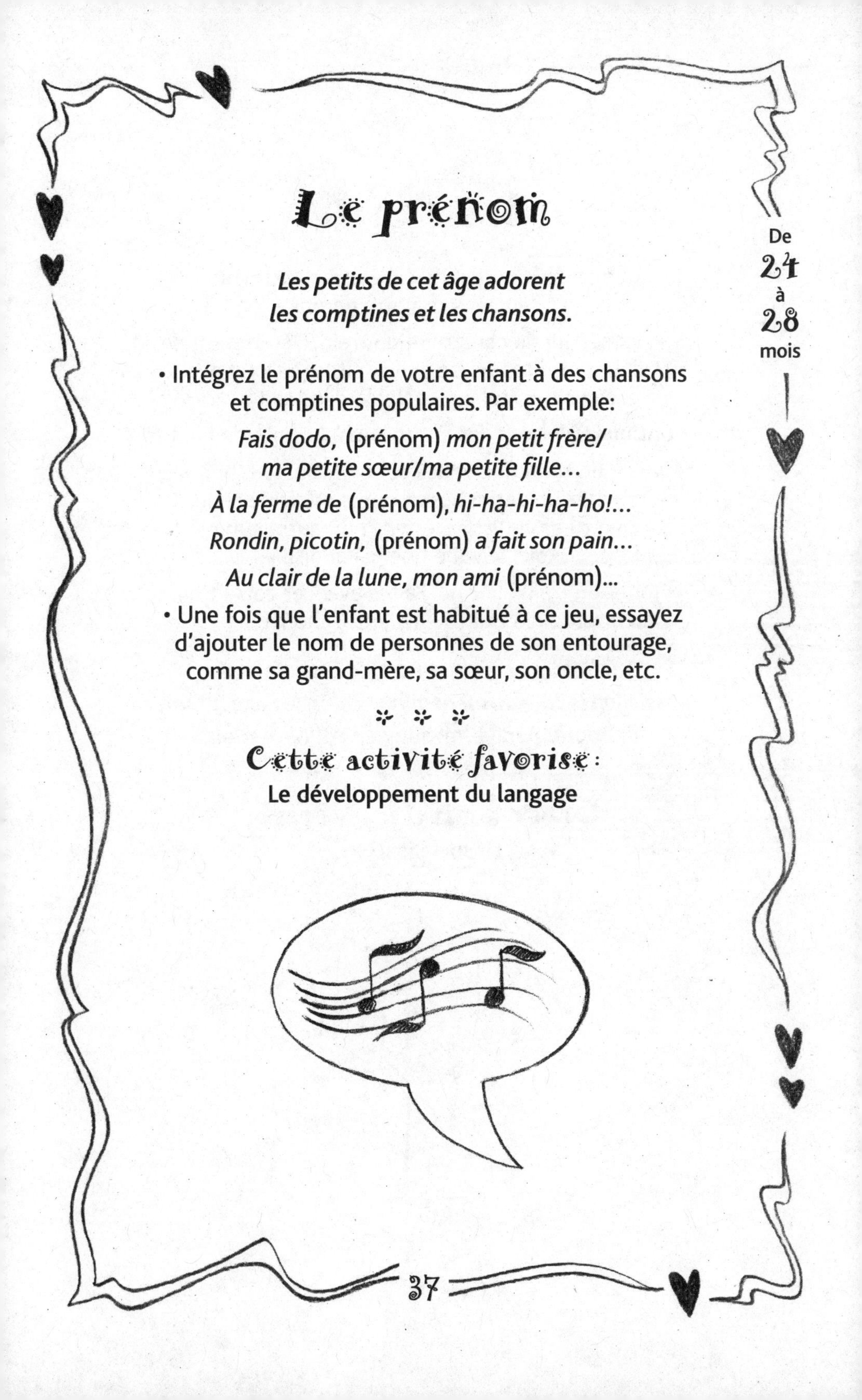

Le prénom

Les petits de cet âge adorent les comptines et les chansons.

• Intégrez le prénom de votre enfant à des chansons et comptines populaires. Par exemple:

Fais dodo, (prénom) *mon petit frère/ ma petite sœur/ma petite fille...*

À la ferme de (prénom), *hi-ha-hi-ha-ho!...*

Rondin, picotin, (prénom) *a fait son pain...*

Au clair de la lune, mon ami (prénom)...

• Une fois que l'enfant est habitué à ce jeu, essayez d'ajouter le nom de personnes de son entourage, comme sa grand-mère, sa sœur, son oncle, etc.

* * *

Cette activité favorise:
Le développement du langage

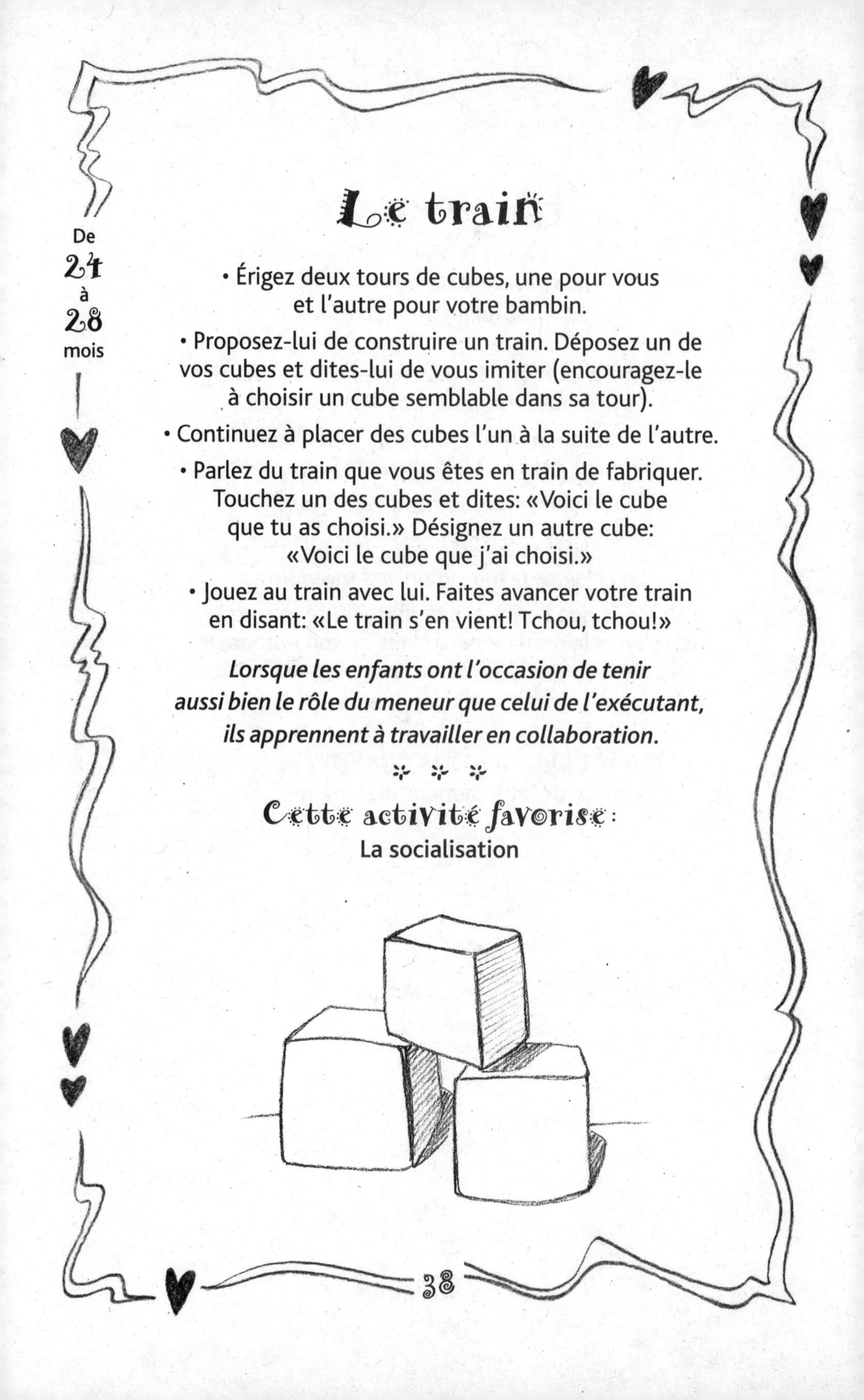

De 24 à 28 mois

Le train

• Érigez deux tours de cubes, une pour vous et l'autre pour votre bambin.

• Proposez-lui de construire un train. Déposez un de vos cubes et dites-lui de vous imiter (encouragez-le à choisir un cube semblable dans sa tour).

• Continuez à placer des cubes l'un à la suite de l'autre.

• Parlez du train que vous êtes en train de fabriquer. Touchez un des cubes et dites: «Voici le cube que tu as choisi.» Désignez un autre cube: «Voici le cube que j'ai choisi.»

• Jouez au train avec lui. Faites avancer votre train en disant: «Le train s'en vient! Tchou, tchou!»

Lorsque les enfants ont l'occasion de tenir aussi bien le rôle du meneur que celui de l'exécutant, ils apprennent à travailler en collaboration.

* * *

Cette activité favorise:
La socialisation

De
24
à
28
mois

Pâte à modeler comestible

• Lavez-vous bien les mains.

• Fabriquez de la pâte à modeler
en suivant cette recette:

320 mg (1 tasse) de beurre d'arachide

90 g (3 c. à soupe) de miel

125 g (1 tasse) de lait écrémé en poudre

• Découvrez avec votre bambin tout ce qu'il est
possible de faire avec cette pâte à modeler:

- la façonner en boule;
- y percer des trous du bout de l'index;
- l'écraser entre les mains;
- la rouler en longs serpents du plat de la main;
- l'aplatir et y tracer des yeux, un nez et une bouche;
- la manger pour le repas du midi!

* * *

Cette activité favorise:
La coordination

De 24 à 28 mois

Collage

• Choisissez une figure que vous souhaitez faire découvrir à votre enfant (cercle, carré, triangle, cœur).

• Découpez cette forme dans divers matériaux sans danger pour lui: papier, papier d'aluminium, tissu, etc.

• Appliquez un peu de colle à l'arrière d'une des formes et montrez-lui comment la coller sur une grande feuille de papier de bricolage.

• Donnez-lui la même forme dans un matériau différent et dites-lui de la coller sur le papier.

• Parlez-lui de cette figure géométrique pendant qu'il s'affaire à son bricolage.

• Continuez jusqu'à ce que toutes les formes soient utilisées.

• Admirez son œuvre et félicitez-le.

• Accrochez le collage dans un endroit bien en vue.

Cette activité favorise:
La reconnaissance des formes

La chenille

• Coupez plusieurs raisins en deux.

• Disposez-les l'un à la suite de l'autre sur une assiette pour imiter une chenille.

• Placez des raisins secs de chaque côté en guise de pattes.

• Ajoutez deux raisins à l'extrémité pour les yeux.

• Récitez cette comptine:

Où vas-tu,
chenille dodue,
chenille poilue?
Filer un joli cocon,
tontaine, tonton,
pour devenir
un papillon!

• Mangez la chenille!

⁂

Cette activité favorise :
La créativité

De 24 à 28 mois

Visage à croquer

• Parlez des parties de la figure avec votre bambin. Posez-lui des questions: «Où est ton nez?», «Où sont tes yeux?» Il sera ravi de vous répondre.

• Dessinez un grand cercle sur une feuille de papier et dessinez-y les parties du visage que vous venez de mentionner.

• Coupez une orange en tranches. Montrez-lui comment faire un visage sur une tranche d'orange en y ajoutant des raisins secs pour les yeux, une noix pour le nez et une lanière de poivron pour la bouche. Ensuite, dégustez ce visage!

• Découpez d'autres tranches et encouragez-le à créer des visages rigolos.

Cette activité favorise:

La conscience du corps

De
24
à
28
mois

Petits fruits

Les petits fruits présentent des saveurs et des textures intéressantes tout en étant très nutritifs.

- Choisissez deux sortes de fruits de couleur et de texture différentes (des bleuets et des fraises, par exemple).
- Montrez à votre enfant comment laver les fruits et les assécher.
- Triez-les en deux tas, en les nommant à mesure.
- Laissez-le goûter les fruits.
- Versez du yogourt à la vanille dans un bol.
- Demandez-lui d'ajouter les fruits au yogourt.
- Savourez!

* * *

Cette activité favorise :

La reconnaissance des couleurs et des textures

De
24
à
28
mois

Les bananes

• Racontez à votre bambin une histoire au sujet d'un singe qui s'appelait (prénom de l'enfant) et qui se balançait de branche en branche pour trouver des bananes.

• Faites semblant de vous balancer à une branche d'arbre en poussant des cris aigus de singe. Faites mine de trouver une banane et de la peler.

• Donnez-lui une véritable banane à peler. Il aura peut-être besoin de votre aide.

• Aidez-le à trancher la banane avec un couteau de plastique.

• Encouragez-le à rouler les tranches de banane dans un mélange de cannelle et de noix. Vous pouvez aussi les mélanger à des céréales, des raisins secs ou du yogourt, ou encore préparer un lait frappé en ajoutant du lait ou du yogourt aux bananes dans un mélangeur.

* * *

Cette activité favorise :
La débrouillardise

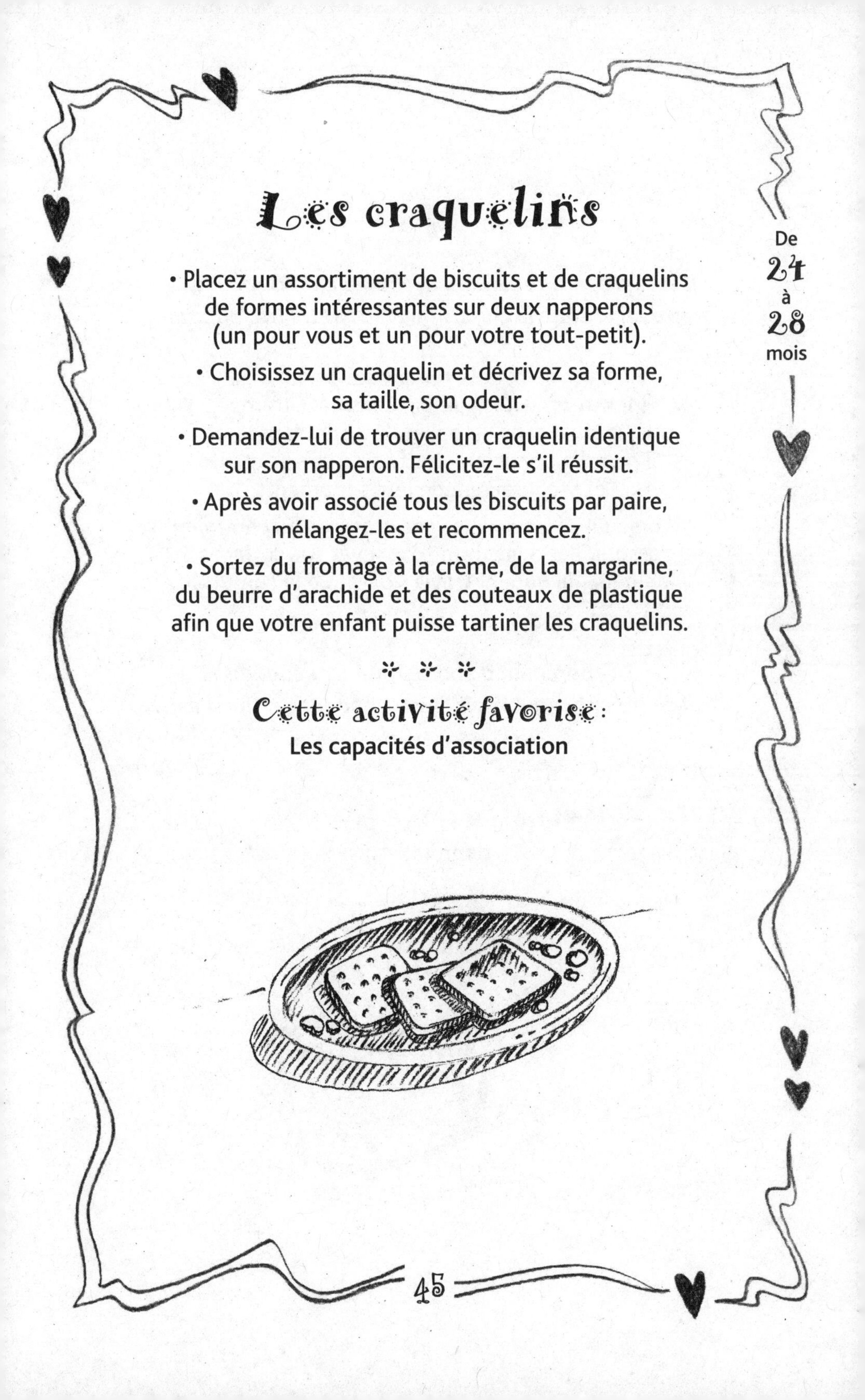

Les craquelins

De 24 à 28 mois

- Placez un assortiment de biscuits et de craquelins de formes intéressantes sur deux napperons (un pour vous et un pour votre tout-petit).
- Choisissez un craquelin et décrivez sa forme, sa taille, son odeur.
- Demandez-lui de trouver un craquelin identique sur son napperon. Félicitez-le s'il réussit.
- Après avoir associé tous les biscuits par paire, mélangez-les et recommencez.
- Sortez du fromage à la crème, de la margarine, du beurre d'arachide et des couteaux de plastique afin que votre enfant puisse tartiner les craquelins.

* * *

Cette activité favorise :
Les capacités d'association

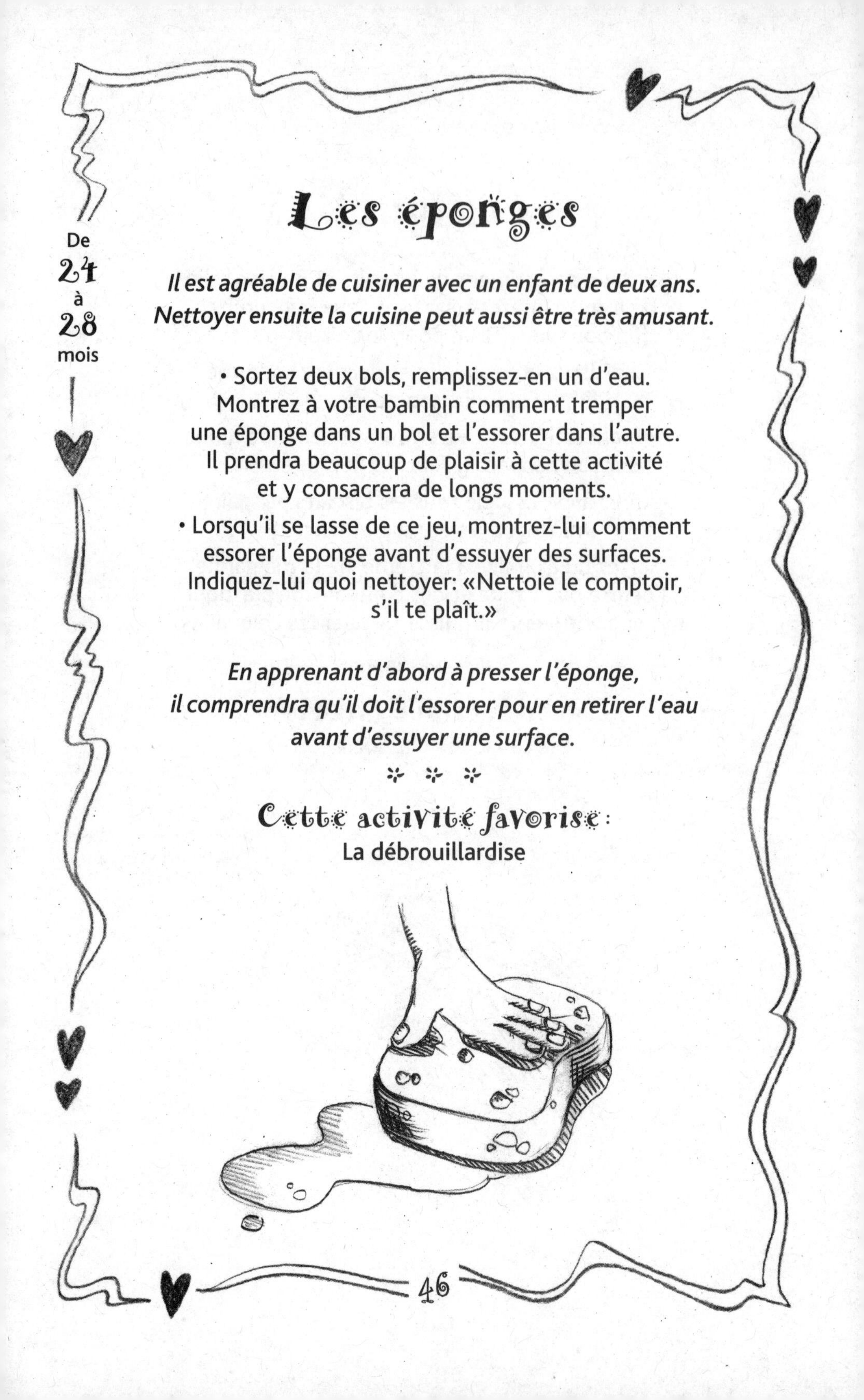

De
24
à
28
mois

Les éponges

Il est agréable de cuisiner avec un enfant de deux ans. Nettoyer ensuite la cuisine peut aussi être très amusant.

• Sortez deux bols, remplissez-en un d'eau. Montrez à votre bambin comment tremper une éponge dans un bol et l'essorer dans l'autre. Il prendra beaucoup de plaisir à cette activité et y consacrera de longs moments.

• Lorsqu'il se lasse de ce jeu, montrez-lui comment essorer l'éponge avant d'essuyer des surfaces. Indiquez-lui quoi nettoyer: «Nettoie le comptoir, s'il te plaît.»

En apprenant d'abord à presser l'éponge, il comprendra qu'il doit l'essorer pour en retirer l'eau avant d'essuyer une surface.

* * *

Cette activité favorise :
La débrouillardise

Deux, c'est mieux!

Les petits de cet âge commencent à comprendre la notion de nombre. Plus ils sont exposés à des jeux de nombres, plus ils intègrent rapidement ce concept.

• Levez deux doigts en disant:

Un, deux,
deux, c'est mieux!

• En prononçant ces mots, désignez chaque doigt.

• Répétez en désignant d'autres parties du corps qui forment une paire: yeux, oreilles, genoux, coudes, pieds.

• Une fois que votre bambin comprend le jeu, montrez-lui d'autres paires d'objets, à l'extérieur ou dans la maison, par exemple dans les motifs des tissus ou du papier peint.

• Donnez-lui deux cubes. Demandez-lui de les prendre un à la fois en disant le petit poème, puis de les déposer l'un après l'autre en le répétant.

* * *

Cette activité favorise:
L'apprentissage des nombres

La balade des chiffres

• Promenez-vous dans la maison en tenant la main de votre enfant.

• Comptez des objets, telles des chaises. Passez d'une pièce à l'autre en comptant à haute voix: «Une chaise, deux chaises, etc.»

• Arrêtez au chiffre cinq.

• Dessinez cinq chaises sur une feuille de papier et montrez-les-lui. Comptez-les de nouveau. Ce jeu lui plaira beaucoup.

* * *

Cette activité favorise:

L'apprentissage des nombres

Quatre petits chiots

De
24
à
28
mois

• Parlez de chiots avec votre bambin. Regardez des livres sur les chiens et imitez leur jappement.

• Récitez le poème suivant en exécutant les gestes indiqués:

Quatre petits chiots voulaient manger
(levez quatre doigts et agitez-les de bas en haut)

Un, deux, trois, quatre, je les ai comptés
(touchez chaque doigt)

Je les ai nourris, et ils sont partis!
(faites marcher vos doigts)

⁂

Cette activité favorise:
L'apprentissage des nombres

Les mains

• Tracez le contour de votre main et de celle de votre enfant sur une feuille de papier blanc épais.

• Faites-lui remarquer que votre main est plus grande que la sienne.

• Proposez-lui de colorer les mains avec de gros crayons de cire.

• Découpez les formes et collez-les sur une grande feuille de papier que vous accrocherez au mur.

• Parlez de toutes les choses qu'on peut faire avec nos mains.

• Demandez-lui d'accomplir les gestes suivants:

- serrer la main;
- agiter la main pour dire au revoir;
- remuer les doigts;
- faire chut avec l'index;
- lever la main pour dire «arrête».

✣ ✣ ✣

Cette activité favorise:
La conscience du corps

De
28
à
32
mois

Coucou grimace

• Faites une drôle de grimace.
Sortez la langue, arrondissez les lèvres
comme un poisson ou plissez la figure.

• Demandez à votre petit de faire une grimace.
Peu importe ce qu'il fait, riez
et encouragez-le à continuer.

• Cachez-vous la figure avec vos mains
et dites: «Coucou grimace!»
Retirez vos mains pour révéler une grimace.

• Dites-lui de cacher son visage.
Répétez: «Coucou grimace!»
Il comprendra ce que vous attendez de lui.

• Après avoir joué à quelques reprises,
ajoutez des sons rigolos
pour accompagner vos grimaces.

* * *

Cette activité favorise :
L'imagination

De 28 à 32 mois

Un, deux, trois...

• Placez-vous de l'autre côté de la pièce, face à votre enfant.

• Aidez-le à décider de quelle façon il va se déplacer pour venir vous rejoindre. Par exemple, il pourrait sautiller, marcher, courir, marcher à reculons ou de côté, faire des bonds de lapin, ramper, etc.

• Une fois qu'il a choisi, donnez le signal du départ: «Un, deux, trois... vas-y!»

• Quand il parvient jusqu'à vous, faites-lui un câlin et dites-lui: «Maintenant, retourne chez toi.» Il retourne alors de l'autre côté de la pièce, puis le jeu recommence.

* * *

Cette activité favorise:
La coordination

Vole, vole

De 28 à 32 mois

• Montrez des photos de poissons, d'oiseaux et de chenilles à votre enfant.

• Parlez de la façon dont se déplacent ces animaux. Un poisson nage, un oiseau vole et une chenille rampe.

• Faites semblant de nager comme un poisson.

• Faites semblant de voler comme un oiseau.

• Faites semblant de ramper comme une chenille.

• Récitez le poème qui suit en vous déplaçant:

Vole, vole, petit oiseau dans les airs
Rampe, rampe, petite chenille sur la terre
Nage, nage, petit poisson dans le ruisseau
Dors, dors, petit enfant dans le berceau
(fermez les yeux et faites mine de dormir)

* * *

Cette activité favorise:
La coordination

De
28
à
32
mois

Deux petits oiseaux

• Dites le poème qui suit en bougeant les doigts tel qu'il est indiqué:

Deux petits oiseaux sont sur une branche. (levez les index)

L'un s'appelle Pierre (remuez un index)

et l'autre s'appelle Paul. (remuez l'autre)

Va-t'en, Pierre! (faites «voler» un index derrière votre dos)

Va-t'en, Paul! (faites de même avec l'autre index)

Viens-t'en, Pierre! (ramenez l'index)

Viens-t'en, Paul! (ramenez l'autre)

• Faites semblant que vous êtes Pierre et que votre enfant est Paul. Récitez le poème. Cette fois, aux mots «Va-t'en», cachez-vous dans la pièce. Aux mots «Viens-t'en», sortez de votre cachette.

Cette activité favorise:

Le développement du langage

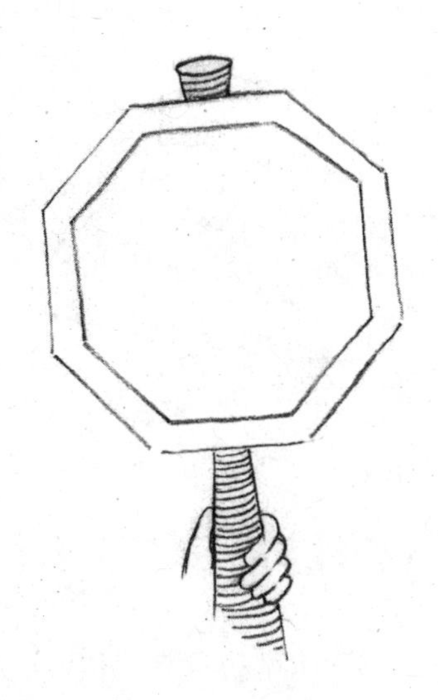

De 28 à 32 mois

Arrêt!

• Découpez deux cercles de papier, un vert et un rouge.

• Dites à votre enfant: «Je vais courir (ou tout autre mouvement). Peux-tu tenir le cercle vert et courir avec moi?»

• Après avoir couru, dites: «Il faut arrêter. Lève le cercle rouge!»

• Vous pouvez également dessiner et découper un panneau d'arrêt et vous en servir pour signaler le moment d'arrêter.

• Utilisez ce jeu pour le familiariser avec les feux de circulation et les panneaux de signalisation.

* * *

Cette activité favorise:
L'apprentissage des couleurs et de la sécurité

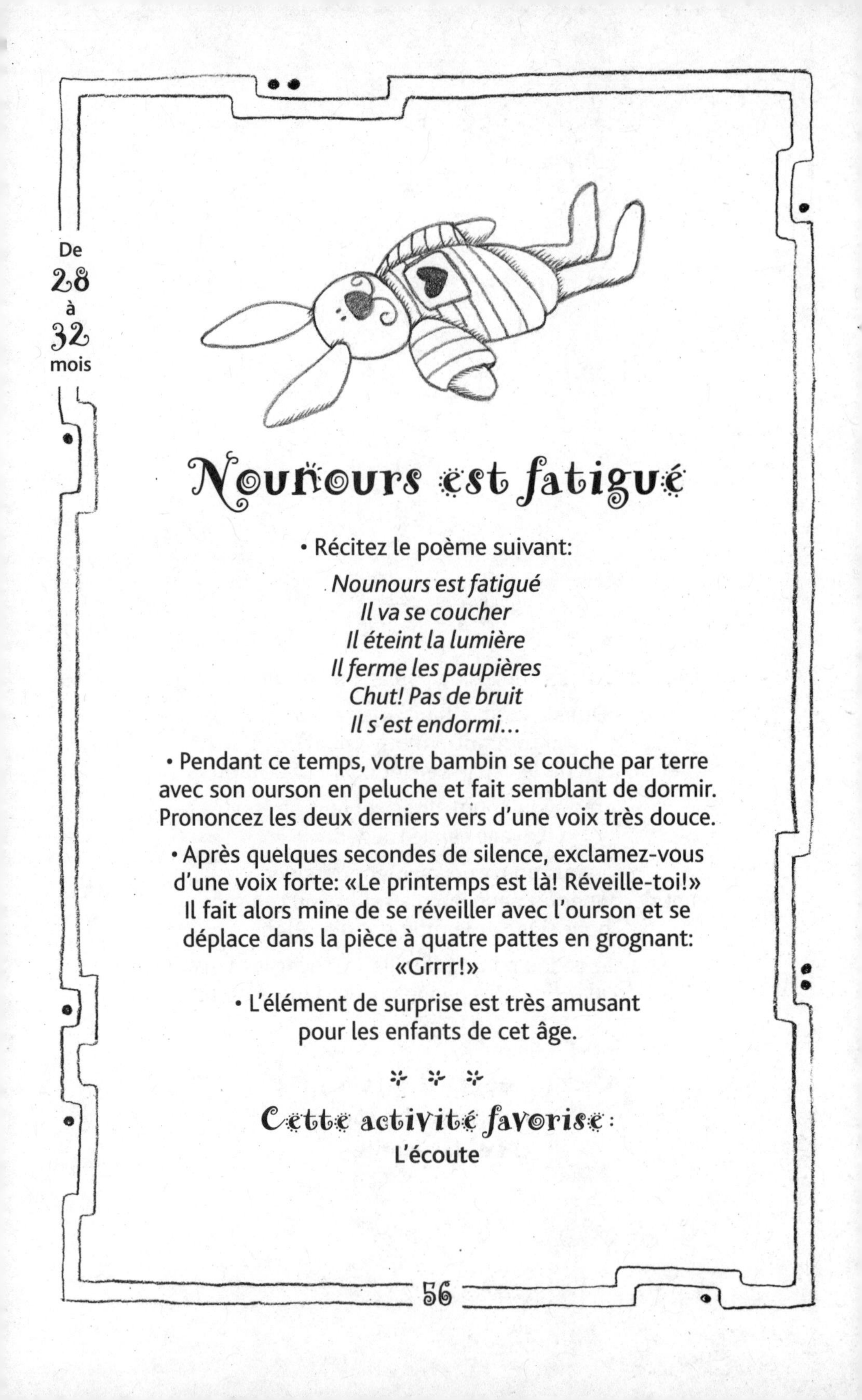

De 28 à 32 mois

Nounours est fatigué

• Récitez le poème suivant:

Nounours est fatigué
Il va se coucher
Il éteint la lumière
Il ferme les paupières
Chut! Pas de bruit
Il s'est endormi...

• Pendant ce temps, votre bambin se couche par terre avec son ourson en peluche et fait semblant de dormir. Prononcez les deux derniers vers d'une voix très douce.

• Après quelques secondes de silence, exclamez-vous d'une voix forte: «Le printemps est là! Réveille-toi!» Il fait alors mine de se réveiller avec l'ourson et se déplace dans la pièce à quatre pattes en grognant: «Grrrr!»

• L'élément de surprise est très amusant pour les enfants de cet âge.

* * *

Cette activité favorise:
L'écoute

Bêê!

• Chantez des chansons qui parlent de moutons à votre bambin. Par exemple, *Il était une bergère*, *Il pleut bergère* ou *La laine des moutons*.

• Faites semblant d'être un mouton et dites: «Bêê! Bêê!»

• Jouez à cache-cache. Dissimulez-vous derrière une porte ou une chaise et attirez son attention en bêlant.

• Placez une boîte à chaussures par terre pour qu'il la franchisse d'un bond en bêlant.

* * *

Cette activité favorise:

La créativité

De 28 à 32 mois

• Répétez ce poème en poussant votre enfant sur une balançoire ou en le balançant dans vos bras. Inventez une mélodie ou prenez une voix chantante.

Je me balance dans les airs
Je me balance entre ciel et terre
Je me balance comme un yoyo
Je me balance encore plus haut
Je me balance tout le matin
Je reviens pour un câlin!

• Au dernier vers, serrez-le dans vos bras.

* * *

Cette activité favorise :
L'enjouement

De 28 à 32 mois

Petit cheval

- Récitez cette comptine à votre bambin:

Quand Jeannot va à Paris
Sur son petit cheval gris
Il va au pas, au pas, au pas!
Quand Jeannot va à Rouen
Sur son petit cheval blanc
Il va au trot, au trot, au trot!
Quand Jeannot va à Quimper
Sur son petit cheval vert
Il va au galop, au galop, au galop!

- Tout en la répétant, faites mine de vous promener à cheval dans la pièce. Si l'enfant a un cheval bâton, il peut le monter pour caracoler à vos côtés.
- Passez d'une pièce à l'autre en modifiant votre allure selon les paroles de la comptine.

* * *

Cette activité favorise :

La formation de liens affectifs

De 28 à 32 mois

Ma tantirelirelire!

• Chantez ce qui suit, sur l'air de *J'ai un beau château*, en exécutant les gestes indiqués:

Lève le bras comme ça
Ma tantirelirelire,
Lève le bras comme ça
Ma tantirelirelo!

• Ajoutez d'autres mouvements;

Lève la jambe comme ça
Saute sur place…
Hoche la tête…
Plie les genoux…
Touche tes pieds…

* * *

Cette activité favorise:
La coordination

Un gros lézard

De 28 à 32 mois

Les doigts peuvent se transformer en marionnettes cocasses. Il suffit d'y dessiner des visages au moyen de marqueurs.

• Dessinez deux yeux, un nez et une bouche sur chaque doigt d'une main avec des marqueurs lavables.

• Récitez la comptine suivante en accomplissant les gestes indiqués:

Un gros lézard est passé par ici.
Celui-là l'a vu (montrez le pouce)
Celui-là l'a attrapé (montrez l'index)
Celui-là l'a fait cuire (montrez le majeur)
Celui-là l'a mangé (montrez l'annulaire)
Et le tout petit, qu'est-ce qu'il dit?
«On m'oublie?» (montrez et remuez l'auriculaire)

• Dessinez des visages sur les doigts de votre bambin et encouragez-le à répéter la comptine avec vous.

* * *

Cette activité favorise:
La coordination

De 28 à 32 mois

Les œufs

• Amusez-vous à enseigner ce jeu de doigts à votre enfant.

• Récitez ce poème en levant le doigt approprié:

Maman a acheté un œuf (auriculaire)

Papa l'a cassé (annulaire)

La petite sœur l'a fait cuire (majeur)

Le petit frère l'a tourné (index)

Et ce gros gourmand l'a mangé! (pouce)

• Vous pouvez intégrer le nom d'amis, de parents ou d'animaux de compagnie au poème.

• Parlez des multiples façons dont on peut apprêter les œufs: à la coque, au miroir, brouillés, sur le plat, frits, pochés. Choisissez-en une et faites-en la démonstration à votre bambin.

Cette activité favorise:

L'écoute

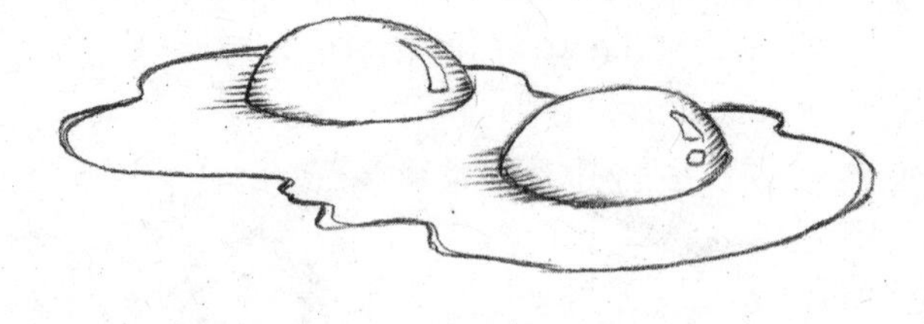

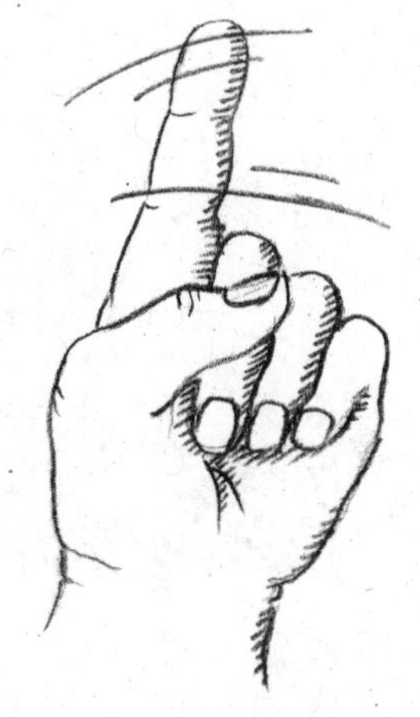

Non, non, non!

Les petits de cet âge adorent s'affirmer en répétant le mot «non». Ce jeu peut transformer une situation tendue en moment de détente et d'humour.

• Secouez la tête en disant:

Non, non, non,
Je dis non!
Non, non, non,
Je dis non!
Non, non, non,
Je dis encore non!

• Votre enfant prendra bientôt part à ce petit jeu.

• Montrez-lui comment remuer son index de gauche à droite en disant non. Hochez la tête de haut en bas et recommencez avec le mot «oui».

* * *

Cette activité favorise:
Le sens de l'humour

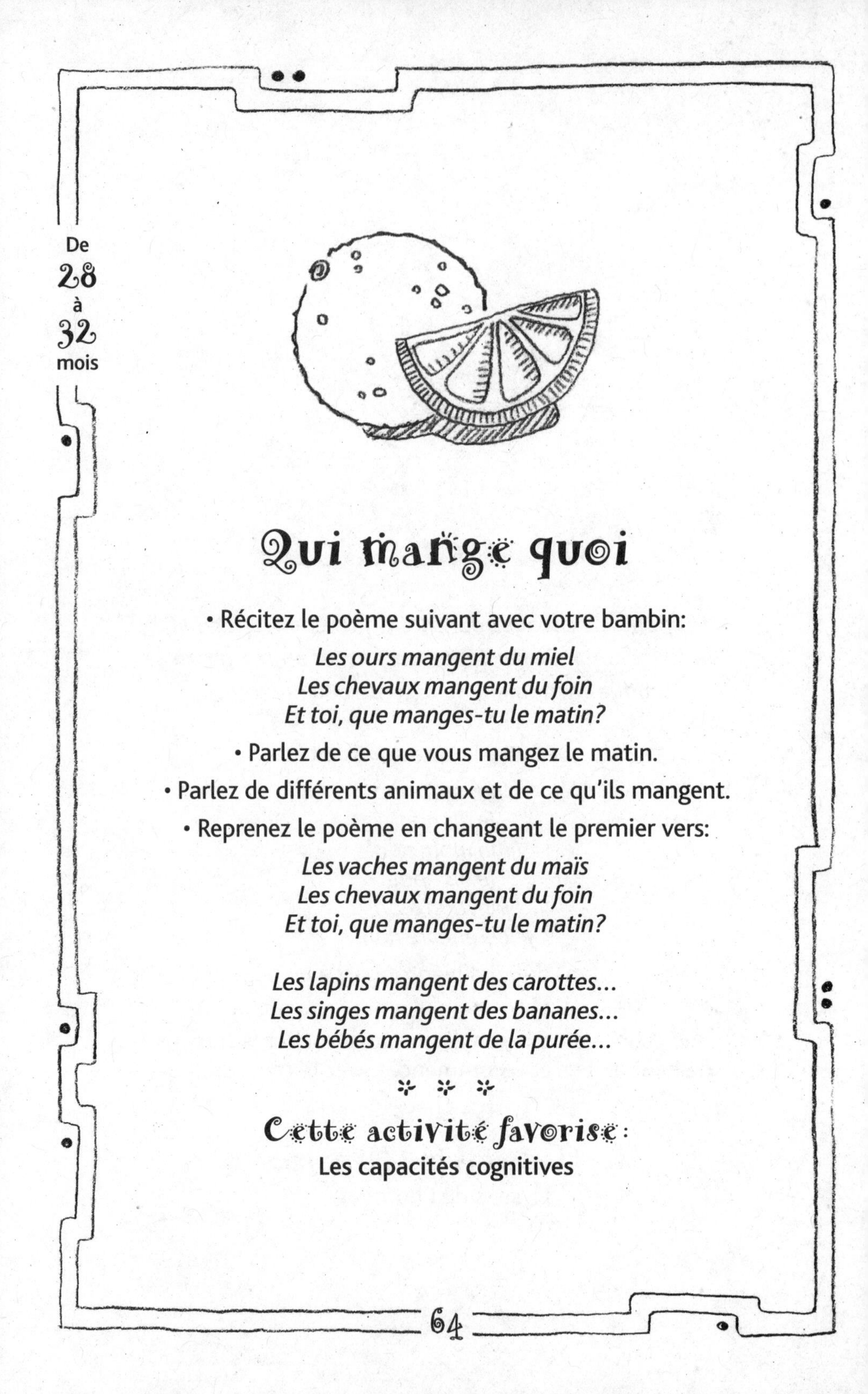

De
28
à
32
mois

Qui mange quoi

• Récitez le poème suivant avec votre bambin:

Les ours mangent du miel
Les chevaux mangent du foin
Et toi, que manges-tu le matin?

• Parlez de ce que vous mangez le matin.

• Parlez de différents animaux et de ce qu'ils mangent.

• Reprenez le poème en changeant le premier vers:

Les vaches mangent du maïs
Les chevaux mangent du foin
Et toi, que manges-tu le matin?

Les lapins mangent des carottes...
Les singes mangent des bananes...
Les bébés mangent de la purée...

* * *

Cette activité favorise:

Les capacités cognitives

Les tortues

De 28 à 32 mois

- Montrez des photos de tortues à votre enfant ou, mieux encore, observez une vraie tortue.
- Récitez-lui des comptines qui parlent de tortues. En voici quelques exemples:

La famille tortue

Jamais on n'a vu, jamais on ne verra
la famille tortue courir après les rats.
Le papa tortue et la maman tortue
et les enfants tortues
iront toujours au pas!

Ma tortue

Elle avance à petits pas
Elle s'en va cahin-caha
Elle s'en vient et elle s'en va
Sans savoir que je suis là
Elle nage, ne s'en fait pas
Elle dort comme sous un toit

Trois tortues têtues

Trois tortues têtues
Trottinent, trottinent
Trois tortues têtues
Trottinent en trottinette

* * *

Cette activité favorise:

Le développement du langage

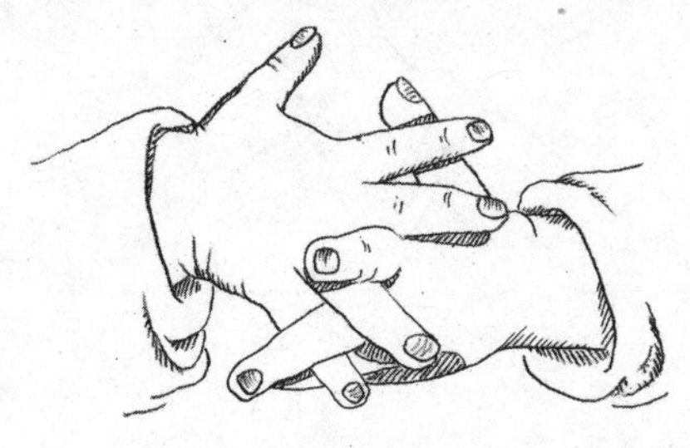

De 28 à 32 mois

Chantons en chœur

Chanter est une merveilleuse activité. Parlez à votre tout-petit des chansons qu'il aime entendre. Il en connaît peut-être davantage que vous ne le croyez.

• Chantez-en deux ou trois ensemble. Proposez-lui de les chanter lorsque vous serez dans la voiture.

• Une fois dans la voiture, rappelez-lui quelles chansons vous allez chanter.

• Avant de les entonner, dites: «Un, deux, trois, chantons!»

Note de l'auteure: J'ai connu des enfants qui refusaient de chanter certaines chansons à moins de se trouver dans la voiture.

* * *

Cette activité favorise:

La mémoire

De 28 à 32 mois

Sous la pluie

• Enfilez un imperméable et des bottes, puis sortez sous la pluie avec votre enfant.

• Chantez *Il pleut bergère* ou d'autres chansons et comptines qui parlent de pluie:

Il pleut, il mouille
C'est la fête à la grenouille
Quand il ne pleuvra plus
Ce sera la fête à la tortue!

La pluie sur mon cou
c'est doux, c'est doux
la pluie sur mon front
c'est bon, c'est bon
la pluie sur mes doigts
c'est froid, c'est froid

Tombe, tombe, tombe la pluie
tout le monde est à l'abri
Y a que mon petit frère
qui est sous la gouttière
et pêche du poisson
pour toute la maison!

* * *

Cette activité favorise:
La découverte de la nature

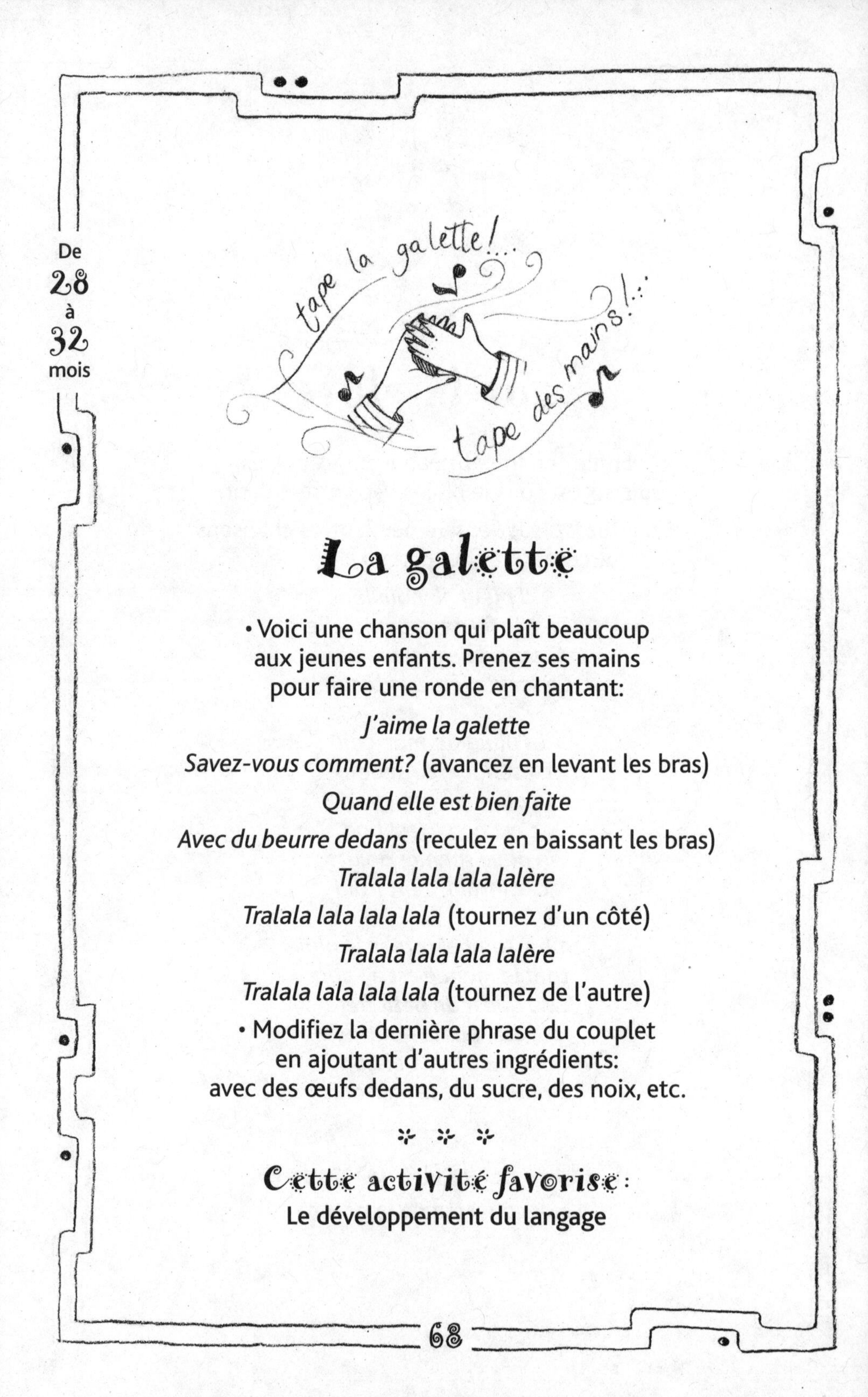

De 28 à 32 mois

La galette

• Voici une chanson qui plaît beaucoup aux jeunes enfants. Prenez ses mains pour faire une ronde en chantant:

J'aime la galette

Savez-vous comment? (avancez en levant les bras)

Quand elle est bien faite

Avec du beurre dedans (reculez en baissant les bras)

Tralala lala lala lalère

Tralala lala lala lala (tournez d'un côté)

Tralala lala lala lalère

Tralala lala lala lala (tournez de l'autre)

• Modifiez la dernière phrase du couplet en ajoutant d'autres ingrédients: avec des œufs dedans, du sucre, des noix, etc.

* * *

Cette activité favorise:

Le développement du langage

Chuchotis

De 28 à 32 mois

Les petits de deux ans sont fascinés par les chuchotements. Ils adorent s'amuser à modifier leur voix.

- Dites à votre enfant d'une voix normale: «Je t'aime.» Répétez ensuite ces mots en les chuchotant.
- Demandez-lui de vous dire la même chose en chuchotant.
- Il lui faudra quelques essais, mais il comprendra vite comment s'y prendre.
- Posez-lui des questions en chuchotant: «Que fait la vache?», «Que fait le canard?»
- Encouragez-le à chuchoter la réponse. S'il répond d'une voix normale, chuchotez vous-même la réponse.
- Essayez de chanter en chuchotant.

* * *

Cette activité favorise:

L'écoute

De 28 à 32 mois

Histoire rébus

Les histoires rébus sont des textes ponctués de pictogrammes, c'est-à-dire des images qui remplacent certains mots.

• Racontez à votre bambin une histoire qui parle de ses activités préférées. Commencez par une histoire courte, de deux ou trois phrases.

• Dessinez des images représentant certains mots de l'histoire ou découpez-les dans des magazines et des albums à colorier.

• Au début, n'utilisez qu'une ou deux images.

• Montrez-lui les images et racontez l'histoire. Par exemple, si vous avez des images représentant un chien et une balançoire, l'histoire pourrait être:

Il était une fois un petit garçon appelé (prénom de l'enfant). *Il avait un chien appelé* (nom du chien). *Ils sont allés dehors se balancer sur la balançoire.*

• Écrivez l'histoire sur une feuille et placez les images du chien et de la balançoire à l'emplacement de ces mots.

• Lisez l'histoire en plaçant l'index sous chaque mot que vous prononcez.

• Ce type d'histoire familiarise l'enfant avec les mécanismes de la lecture, lui enseignant que le texte se déchiffre de gauche à droite et de haut en bas.

* * *

Cette activité favorise :

Les habiletés de prélecture

Les autos

• Feuilletez des catalogues et des magazines pour trouver des photographies de voitures dans des lieux différents: en ville, sur l'autoroute, dans une salle de montre, etc.

• Découpez-les et collez-les sur du papier épais.

• Agrafez les pages pour fabriquer un livre sur les voitures.

• Donnez ce livre à votre bambin. Pendant qu'il tourne les pages, posez-lui des questions:

Peux-tu trouver une auto rouge?

Vois-tu une auto dans la rue?

Les autos ont-elles des roues?

Trouve une drôle de voiture.

* * *

Cette activité favorise:

Les facultés d'observation

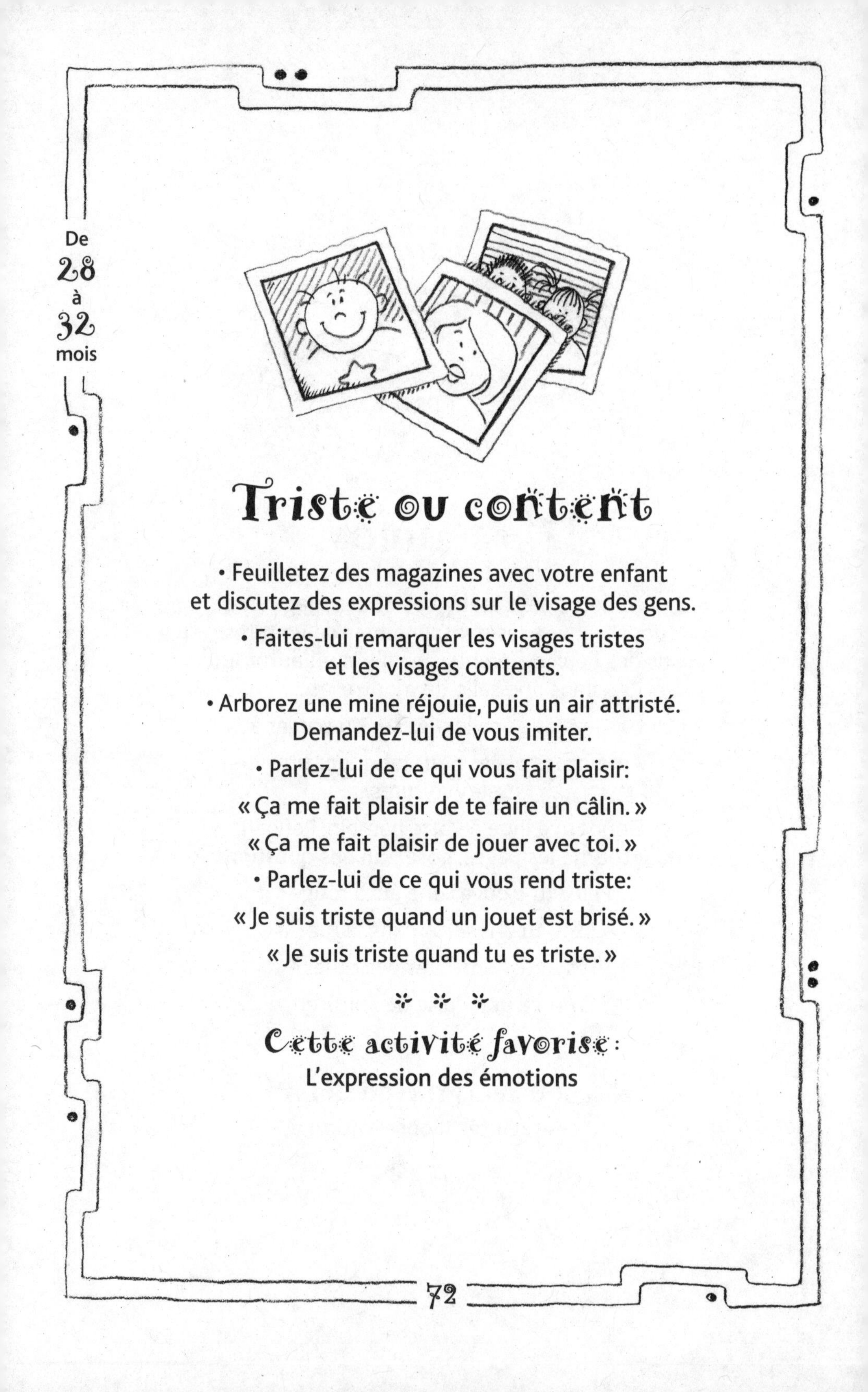

De 28 à 32 mois

Triste ou content

• Feuilletez des magazines avec votre enfant et discutez des expressions sur le visage des gens.

• Faites-lui remarquer les visages tristes et les visages contents.

• Arborez une mine réjouie, puis un air attristé. Demandez-lui de vous imiter.

• Parlez-lui de ce qui vous fait plaisir:

« Ça me fait plaisir de te faire un câlin. »

« Ça me fait plaisir de jouer avec toi. »

• Parlez-lui de ce qui vous rend triste:

« Je suis triste quand un jouet est brisé. »

« Je suis triste quand tu es triste. »

* * *

Cette activité favorise :

L'expression des émotions

Le gant

• Trouvez un gant de jardinage ou tout autre type de gant sur lequel vous voulez dessiner. Ce jeu est une bonne façon d'utiliser les gants dépareillés.

• Dessinez un visage sur chaque doigt à l'aide d'un marqueur. Donnez-leur des noms. Il peut s'agir de membres de la famille, d'animaux, etc.

• Enfilez le gant et présentez les personnages à votre enfant.

• En présentant chaque doigt, expliquez de qui il s'agit et dites quelques mots d'une voix adaptée au personnage. Par exemple: «Voici Madame la Vache.» «Meuh, meuh.»

• Demandez-lui de parler avec la vache.

• Si les personnages sont des animaux, chantez *Dans la ferme à Mathurin*.

Cette activité favorise :

La créativité

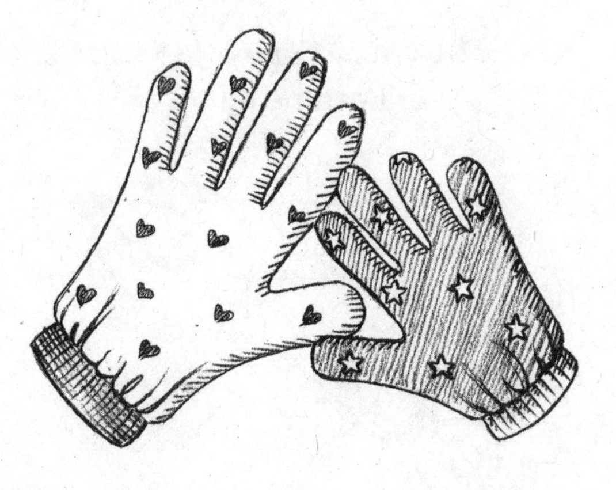

De 28 à 32 mois

Petit bébé

Les enfants adorent entendre parler de la période où ils étaient bébés. Cela les aide à se sentir importants et aimés.

• Trouvez un livre ou une boîte où conserver des photos, des cartes de vœux, des dessins et tout autre souvenir important pour votre enfant et vous.

• Vous pourriez également inclure:

- des photos de ses aliments favoris (tirées d'annonces publicitaires);
- les journaux publiés le jour de sa naissance;
- des empreintes de ses pieds et de ses mains à différents âges;
- des empreintes de vos pieds et de vos mains;
- des jouets dont il s'est lassé.

Vous prendrez plaisir à examiner cette collection de souvenirs pendant des années.

Cette activité favorise:
L'estime de soi

De 28 à 32 mois

Les tournesols

Les tournesols poussent souvent jusqu'à une hauteur de 3 m, à raison de 15 cm par semaine.

• Fixez une longue bande de papier le long d'un mur.

• Plantez des graines de tournesol et arrosez-les régulièrement.

• Une fois par semaine, mesurez les plants et indiquez leur hauteur sur la toise. Comparez-la à la taille de votre enfant.

• Demandez-lui de faire un trait ou un dessin sur la toise pour indiquer la hauteur de la fleur.

• Après quelques semaines, mesurez de nouveau la plante et votre enfant. Grâce à la toise, il comprendra que la fleur grandit.

• Comparez la croissance de la plante et la sienne au cours de la même période.

* * *

Cette activité favorise :
Les capacités cognitives

De 28 à 32 mois

Le printemps

Les premiers signes de l'arrivée du printemps sont toujours captivants. Un brin d'herbe qui surgit de la terre ou le gazouillis d'un oiseau nous font prendre conscience des merveilles de la nature.

• Promenez-vous dehors avec votre petit et observez tous les signes du retour du printemps.

* * *

Cette activité favorise :
La découverte de la nature

La ouate

De 28 à 32 mois

• Procurez-vous un paquet de gros tampons d'ouate et de la colle.

• Étalez une grande feuille de papier de bricolage sur la table.

• Appliquez de la colle sur un tampon d'ouate et demandez à votre bambin de le coller sur la feuille.

• Faites cette activité avec lui.
Cela contribuera à accroître son vocabulaire et renforcera vos liens affectifs.

• Les enfants de deux ans adorent cette activité et tirent une grande fierté de leur œuvre.

• Une fois le collage terminé, accrochez-le à la hauteur de son regard.

❊ ❊ ❊

Cette activité favorise :

Le développement du langage

De 28 à 32 mois

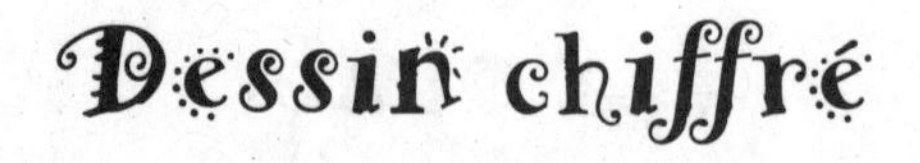

Dessin chiffré

• Feuilletez des magazines, des catalogues et des calendriers avec votre tout-petit pour y trouver des nombres. Commencez par les chiffres 1 et 2.

• Chaque fois que vous voyez un 1 ou un 2, désignez-les en les nommant, puis découpez-les.

• Proposez à votre enfant de vous aider à les coller sur du papier de bricolage. Chaque fois qu'il colle un chiffre, nommez-le.

• Accrochez son œuvre dans un endroit où il peut l'admirer.

* * *

Cette activité favorise :
L'apprentissage des nombres

De 28 à 32 mois

Les roulés

• Retirez les croûtes de deux tranches de pain complet.

• Placez du beurre d'arachide, du miel et de la cannelle sur la table.

• Montrez à votre enfant comment aplatir le pain à l'aide d'un rouleau à pâtisserie.

• Demandez-lui d'étaler du beurre d'arachide sur sa tranche de pain, puis d'ajouter d'autres ingrédients s'il le désire.

• Pendant qu'il tartine le pain, donnez-lui l'exemple avec votre tranche.

• Aidez-le à rouler le pain.

• Coupez le roulé en trois ou quatre tranches. Il sera fasciné par le motif du centre et prendra plaisir à manger ce drôle de sandwich.

* * *

Cette activité favorise :
La coordination

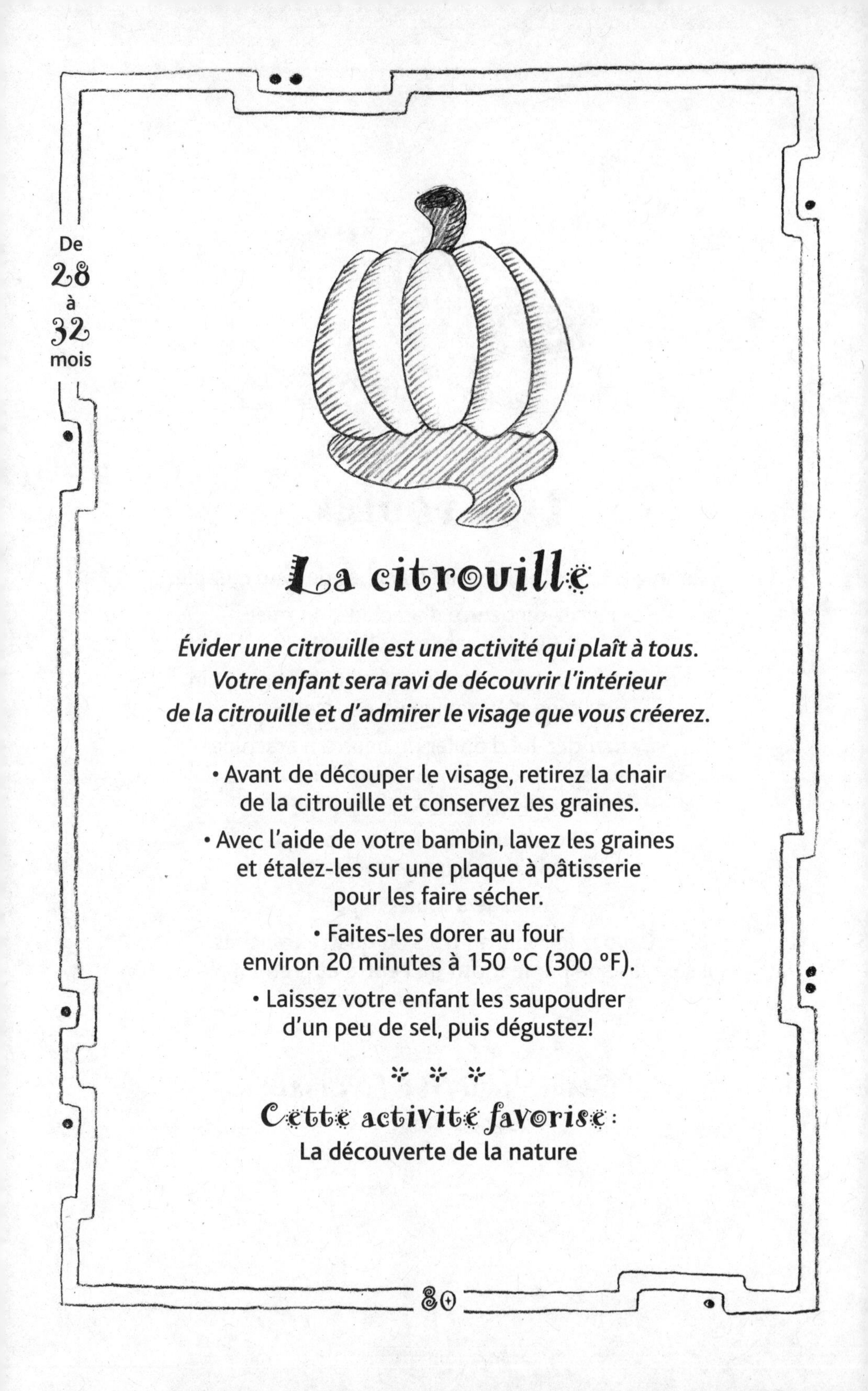

De
28
à
32
mois

La citrouille

Évider une citrouille est une activité qui plaît à tous. Votre enfant sera ravi de découvrir l'intérieur de la citrouille et d'admirer le visage que vous créerez.

• Avant de découper le visage, retirez la chair de la citrouille et conservez les graines.

• Avec l'aide de votre bambin, lavez les graines et étalez-les sur une plaque à pâtisserie pour les faire sécher.

• Faites-les dorer au four environ 20 minutes à 150 °C (300 °F).

• Laissez votre enfant les saupoudrer d'un peu de sel, puis dégustez!

Cette activité favorise :
La découverte de la nature

Sandwich au nez rouge

De 28 à 32 mois

Toute la famille s'amusera à préparer ce sandwich rigolo.

• Coupez une tranche de pain en deux triangles.

• Dites à votre petit de tartiner ces triangles avec du beurre, du beurre d'arachide ou du fromage à la crème.

• Enfoncez des bretzels dans le pain en guise de ramure.

• Dites-lui d'ajouter des yeux, un nez et une bouche en choisissant parmi des raisins secs, des lanières de poivron, des olives, des noix et des tomates cerises (pour le nez).

• Lorsque vous avez terminé, chantez *Le petit renne au nez rouge*.

* * *

Cette activité favorise :
La créativité

De 28 à 32 mois

La rue

Les enfants de cet âge aiment jouer avec des cubes et les disposer l'un à la suite de l'autre.

• Encouragez votre bambin à former une longue suite de cubes. Dites-lui qu'il construit une rue pour ses petites voitures.

• Faites rouler une auto dans cette «rue».

• Il voudra vous imiter.

• Sortez plusieurs petites voitures et camions, et faites-les avancer dans la rue. Faites mine de klaxonner et imitez le bruit d'un moteur.

• Placez d'autres cubes à la verticale en guise de maisons, de magasins, etc.

✣ ✣ ✣

Cette activité favorise :
La créativité

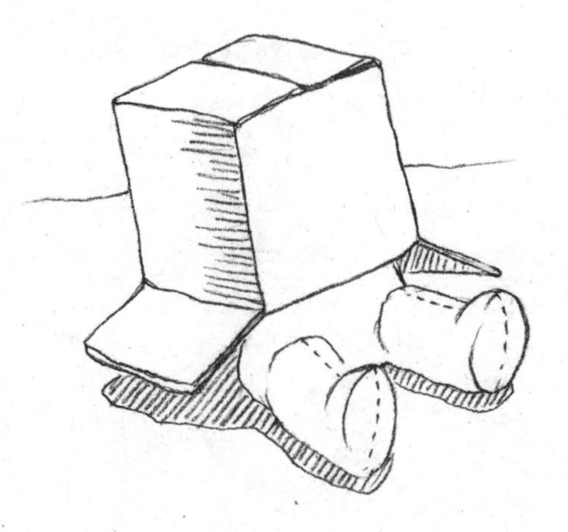

De 28 à 32 mois

Les boîtes

• Trouvez trois boîtes de tailles variées, munies de couvercles (les boîtes à chaussures conviennent bien à cette activité).

• Décorez-les avec des autocollants, en prenant soin de choisir des gommettes différentes pour chaque boîte et d'assortir les boîtes à leur couvercle.

• Montrez les boîtes fermées à votre bambin.

• Demandez-lui de retirer les couvercles.

• Dites-lui de les remettre.

• Il essaiera probablement de mettre un couvercle sur la mauvaise boîte. Lorsqu'il trouve la boîte appropriée, félicitez-le.

• Décrivez les autocollants. Faites-lui remarquer que chaque couvercle est assorti à une boîte.

* * *

Cette activité favorise :
La résolution de problèmes

De 28 à 32 mois

Le tri

Ce jeu encourage les jeunes enfants à ranger leurs jouets tout en leur apprenant à faire des associations.

• Choisissez une catégorie, tels des cubes, et cherchez des cubes dans la pièce et dans le reste de la maison. Votre bambin s'amusera beaucoup à chercher avec vous. Rendez le jeu encore plus divertissant en disant: «Cubes, cubes, où êtes-vous?» «Ah! Vous êtes là!»

• Placez tous les cubes dans un contenant.

• Associez-les par taille. Prenez un cube et demandez à l'enfant d'en trouver un autre de la même taille.

• Vous pouvez aussi les assortir par couleur.

• Lorsque vous avez terminé de ranger les cubes, faites de même pour d'autres types de jouets.

* * *

Cette activité favorise:
Les capacités d'association

Les déguisements

De 28 à 32 mois

• Les enfants adorent se costumer. Mettez divers accessoires dans une boîte: foulards, cravates, chapeaux, bijoux, etc.

• Commencez le jeu en enroulant un foulard autour de votre cou et en mettant un chapeau. Modifiez votre voix.

• Proposez à votre bambin d'essayer les accessoires qui lui plaisent. Il les enfilera peut-être à l'envers, mais encouragez-le et complimentez-le sur son choix de costume.

Quand vous le félicitez, cela le rassure sur la valeur de ses décisions.

* * *

Cette activité favorise :
L'estime de soi

Les fleurs

De 28 à 32 mois

• Trouvez des photos de fleurs dans des magazines de jardinage.

• Découpez-les et collez-les sur du papier de bricolage épais.

• Montrez-les à votre enfant et dites-lui le nom de chaque fleur.

• Chantez-lui des chansons qui parlent de fleurs en lui montrant une photo de la fleur en question. Par exemple, montrez-lui une image de lilas et chantez:

Au jardin de mon père
Les lilas sont fleuris (bis)
Tous les oiseaux du monde
Viennent y faire leur nid
Auprès de ma blonde
Qu'il fait bon, fait bon, fait bon
Auprès de ma blonde
Qu'il fait bon dormir!

• Vous pouvez aussi lui réciter des comptines:

À la ronde du muguet
Sans rire et sans parler
Le premier qui rira ira au piquet

Cueillons la rose sans la laisser faner
Elle est éclose, il faut la ramasser
Cueillons, cueillons, Marie est son amie
Faites un tour, demi-tour, belles, belles, belles
Faites un tour, demi-tour, belles, belles, belles
Embrassez-vous sur les deux joues!

Cette activité favorise:
Les facultés d'observation

S'il te plaît

• En commençant chaque phrase par les mots «s'il te plaît», demandez à votre enfant d'accomplir une tâche. Par exemple: «S'il te plaît, peux-tu me donner ton ourson?»

• Une fois qu'il comprend le jeu, poursuivez avec des demandes plus difficiles afin de développer ses capacités cognitives.

• Commencez toujours vos questions par «s'il te plaît». Cela lui indiquera que vous avez l'intention de jouer. D'ailleurs, il vous réclamera probablement ce jeu.

• Voici quelques suggestions:

S'il te plaît, peux-tu m'apporter mon chapeau?

S'il te plaît, peux-tu m'apporter mes chaussures?

S'il te plaît, peux-tu aller chercher une serviette dans la salle de bains?

S'il te plaît, peux-tu ouvrir le tiroir et me donner une cuillère?

Remarque de l'auteure: Mon neveu de deux ans adore ce jeu et éprouve une grande fierté quand il réussit à exécuter correctement les directives.

* * *

Cette activité favorise:
L'écoute

De
32
à
36
mois

Les sauts

Les enfants de cet âge adorent sauter.
Les sauts avec écart latéral les aident à développer leur motricité et leur équilibre.

• Montrez à votre bambin comment sauter en retombant à pieds joints. Faites une démonstration, puis dites-lui de vous imiter.

• Ensuite, sautez en atterrissant les pieds écartés, et demandez-lui de faire la même chose.

• Une fois qu'il peut sauter des deux façons, montrez-lui comment alterner les deux sauts.

* * *

Cette activité favorise :

La coordination

L'océan

De 32 à 36 mois

• Désignez une partie de la pièce comme étant l'océan.

• Asseyez-vous par terre près de «l'océan» et parlez de l'eau. «Est-ce que l'eau est chaude?», «Peux-tu flotter sur l'eau?», «Est-ce qu'il y a des vagues?», etc.

• Comptez lentement jusqu'à trois, puis dites: «Sautons dans l'océan!» Faites semblant de sauter dans l'eau.

• Pendant que vous êtes dans «l'océan», nagez de toutes sortes de façons, éclaboussez-vous mutuellement, parlez des poissons qui nagent sous l'eau.

• Lorsqu'il est temps de sortir de l'eau, ébrouez-vous, séchez-vous, étendez-vous au soleil, construisez un château de sable et faites toutes les activités qui vous viennent à l'esprit.

Remarque de l'auteure: Mon petit-fils et moi nous sommes amusés à ce jeu durant des heures.

* * *

Cette activité favorise:
L'imagination

De
32
à
36
mois

Fais comme moi!

• Dites: «Un, deux, trois, fais comme moi!»

• Sautez sur place.

• Demandez à votre bambin de vous imiter.

• Répétez encore:
«Un, deux, trois, fais comme moi!»

• Accomplissez une autre action,
comme taper des mains.

• Continuez à exécuter différents mouvements
qu'il devra reproduire.

* * *

Cette activité favorise:

L'écoute

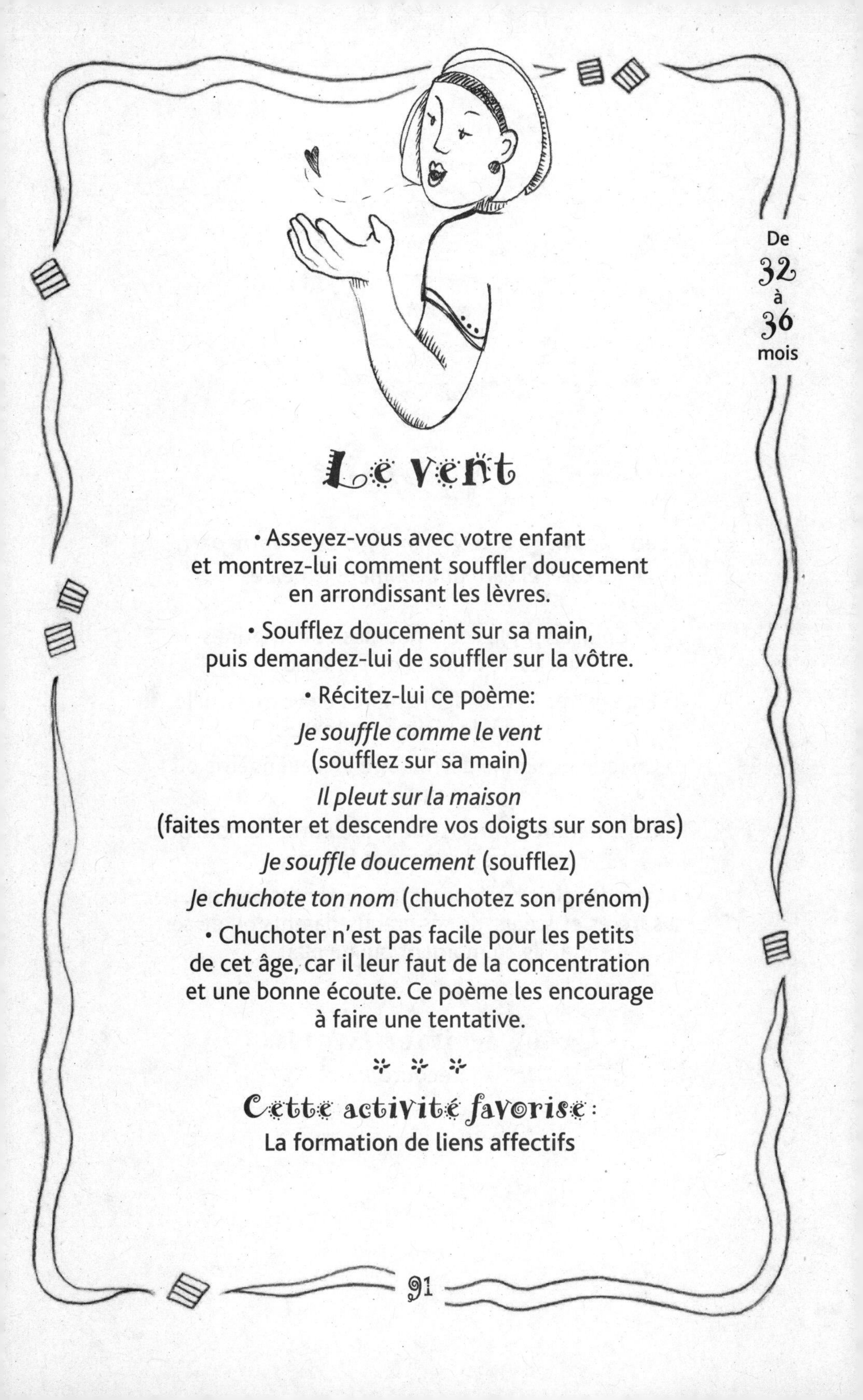

De 32 à 36 mois

Le vent

• Asseyez-vous avec votre enfant et montrez-lui comment souffler doucement en arrondissant les lèvres.

• Soufflez doucement sur sa main, puis demandez-lui de souffler sur la vôtre.

• Récitez-lui ce poème:

Je souffle comme le vent
(soufflez sur sa main)

Il pleut sur la maison
(faites monter et descendre vos doigts sur son bras)

Je souffle doucement (soufflez)

Je chuchote ton nom (chuchotez son prénom)

• Chuchoter n'est pas facile pour les petits de cet âge, car il leur faut de la concentration et une bonne écoute. Ce poème les encourage à faire une tentative.

* * *

Cette activité favorise :
La formation de liens affectifs

De 32 à 36 mois

Les poèmes

Cette activité exige certains efforts de votre part, mais cela en vaut vraiment la peine.

- Choisissez plusieurs poèmes et comptines que votre enfant aime entendre.
- Enregistrez la voix de membres de votre famille en train de réciter ces textes.
- Chaque personne devrait dire un seul poème ou comptine.
- Faites entendre l'enregistrement à votre bambin pour vérifier s'il reconnaît les voix.
- Il prendra plaisir à écouter la voix de ses parents, de ses frères et sœurs, de ses grands-parents ou de ses amis au moment qui lui plaît.

* * *

Cette activité favorise :
L'écoute

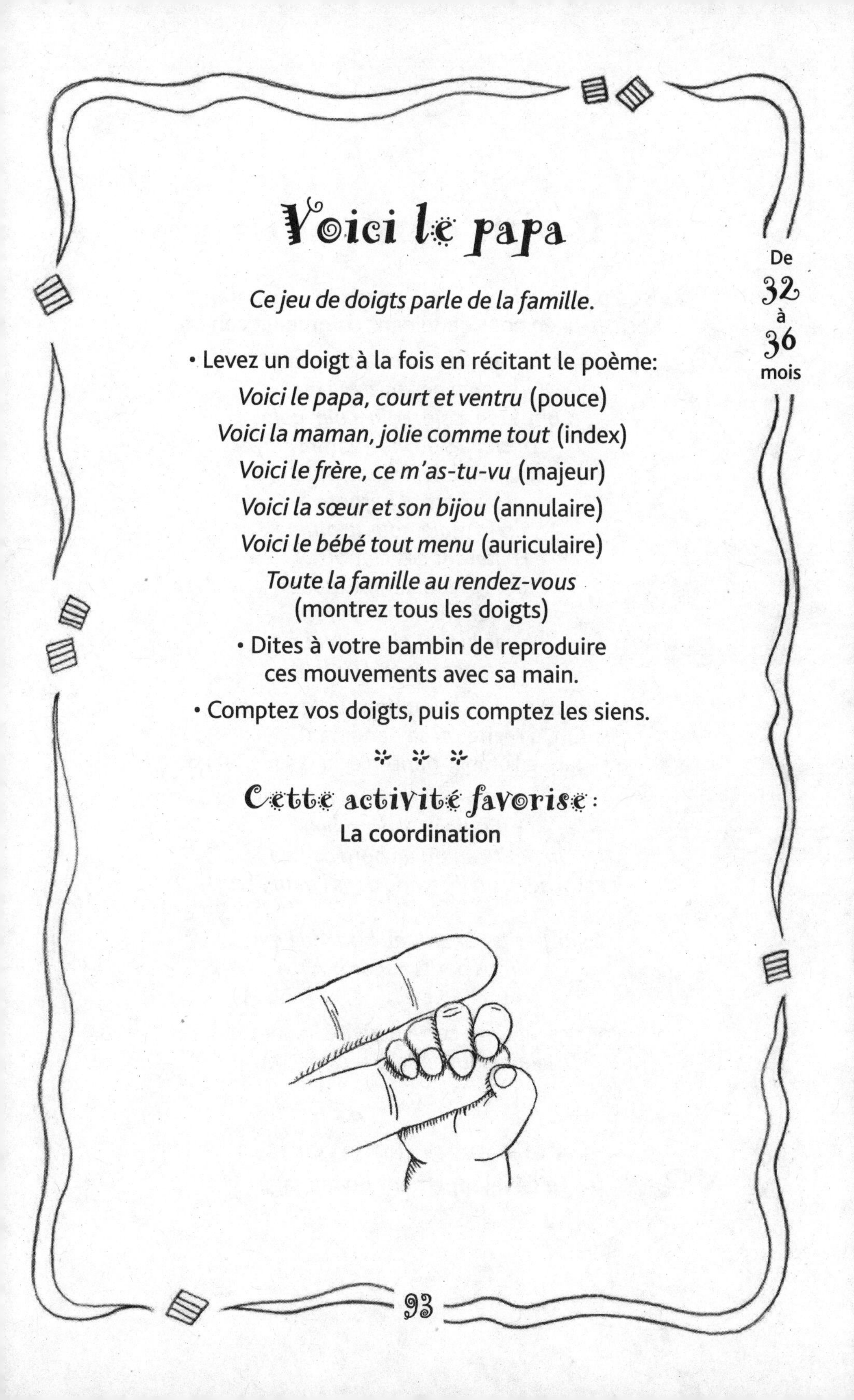

Voici le papa

Ce jeu de doigts parle de la famille.

- Levez un doigt à la fois en récitant le poème:

Voici le papa, court et ventru (pouce)
Voici la maman, jolie comme tout (index)
Voici le frère, ce m'as-tu-vu (majeur)
Voici la sœur et son bijou (annulaire)
Voici le bébé tout menu (auriculaire)
Toute la famille au rendez-vous
(montrez tous les doigts)

- Dites à votre bambin de reproduire ces mouvements avec sa main.
- Comptez vos doigts, puis comptez les siens.

* * *

Cette activité favorise:
La coordination

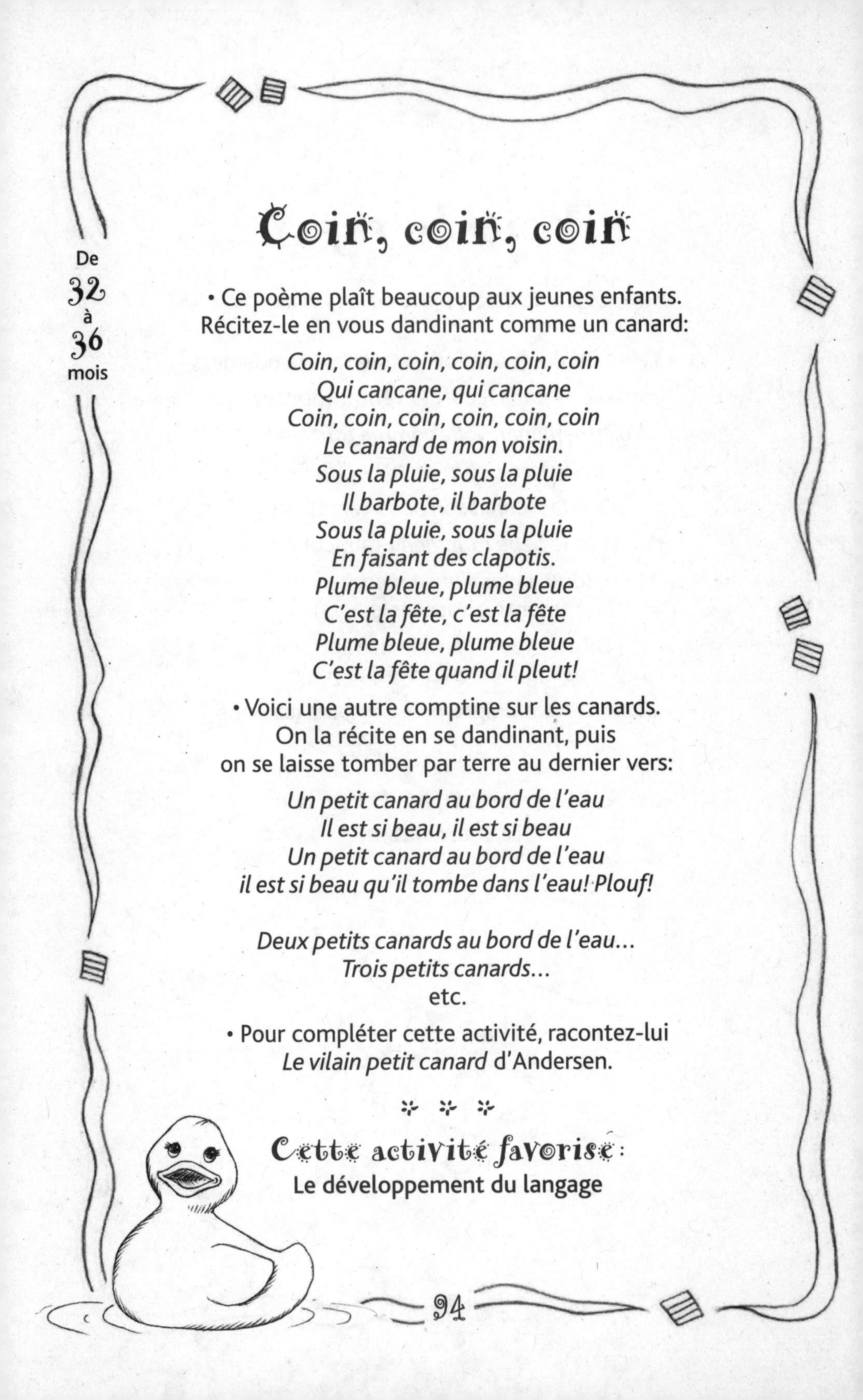

Coin, coin, coin

De 32 à 36 mois

• Ce poème plaît beaucoup aux jeunes enfants. Récitez-le en vous dandinant comme un canard:

Coin, coin, coin, coin, coin, coin
Qui cancane, qui cancane
Coin, coin, coin, coin, coin, coin
Le canard de mon voisin.
Sous la pluie, sous la pluie
Il barbote, il barbote
Sous la pluie, sous la pluie
En faisant des clapotis.
Plume bleue, plume bleue
C'est la fête, c'est la fête
Plume bleue, plume bleue
C'est la fête quand il pleut!

• Voici une autre comptine sur les canards. On la récite en se dandinant, puis on se laisse tomber par terre au dernier vers:

Un petit canard au bord de l'eau
Il est si beau, il est si beau
Un petit canard au bord de l'eau
il est si beau qu'il tombe dans l'eau! Plouf!

Deux petits canards au bord de l'eau...
Trois petits canards...
etc.

• Pour compléter cette activité, racontez-lui *Le vilain petit canard* d'Andersen.

* * *

Cette activité favorise:
Le développement du langage

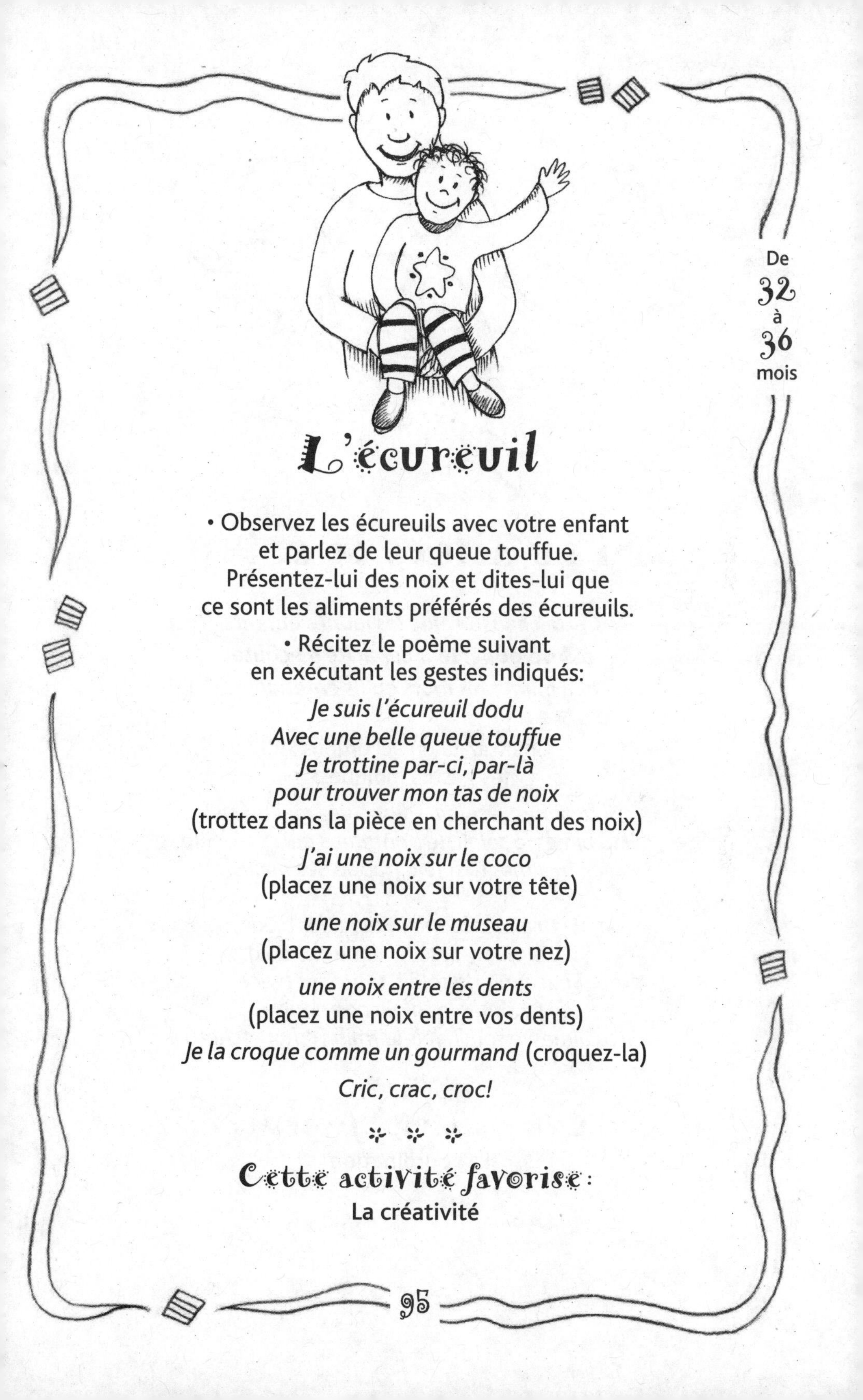

De
32
à
36
mois

L'écureuil

• Observez les écureuils avec votre enfant
et parlez de leur queue touffue.
Présentez-lui des noix et dites-lui que
ce sont les aliments préférés des écureuils.

• Récitez le poème suivant
en exécutant les gestes indiqués:

Je suis l'écureuil dodu
Avec une belle queue touffue
Je trottine par-ci, par-là
pour trouver mon tas de noix
(trottez dans la pièce en cherchant des noix)

J'ai une noix sur le coco
(placez une noix sur votre tête)

une noix sur le museau
(placez une noix sur votre nez)

une noix entre les dents
(placez une noix entre vos dents)

Je la croque comme un gourmand (croquez-la)

Cric, crac, croc!

Cette activité favorise:
La créativité

De
32
à
36
mois

Si tu aimes le soleil

Cette chanson aide les jeunes enfants
à développer leur capacité d'écoute
et à mimer les mots qu'ils entendent.

• Chantez-la en accomplissant
les gestes indiqués:

Si tu aimes le soleil, frappe des mains (bis)
Si tu aimes le soleil, le printemps qui se réveille
Si tu aimes le soleil, frappe des mains!

Si tu aimes le soleil, tape des pieds
Si tu aimes le soleil, clique des doigts
Si tu aimes le soleil, saute sur place
Si tu aimes le soleil, crie hourra!
Si tu aimes le soleil, fais le train (tchou-tchou)

* * *

Cette activité favorise:
La coordination

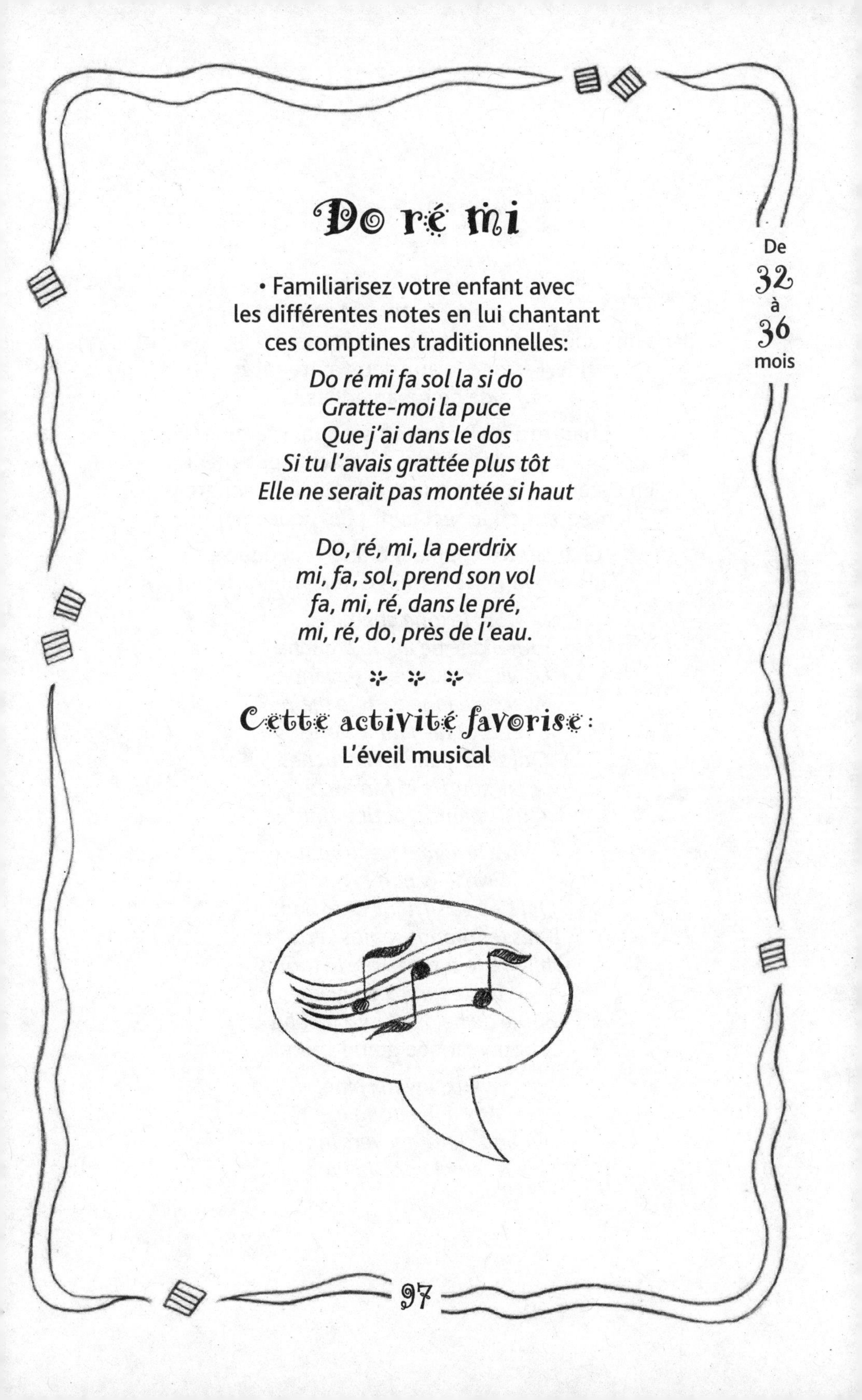

Do ré mi

De 32 à 36 mois

• Familiarisez votre enfant avec les différentes notes en lui chantant ces comptines traditionnelles:

Do ré mi fa sol la si do
Gratte-moi la puce
Que j'ai dans le dos
Si tu l'avais grattée plus tôt
Elle ne serait pas montée si haut

Do, ré, mi, la perdrix
mi, fa, sol, prend son vol
fa, mi, ré, dans le pré,
mi, ré, do, près de l'eau.

❋ ❋ ❋

Cette activité favorise:

L'éveil musical

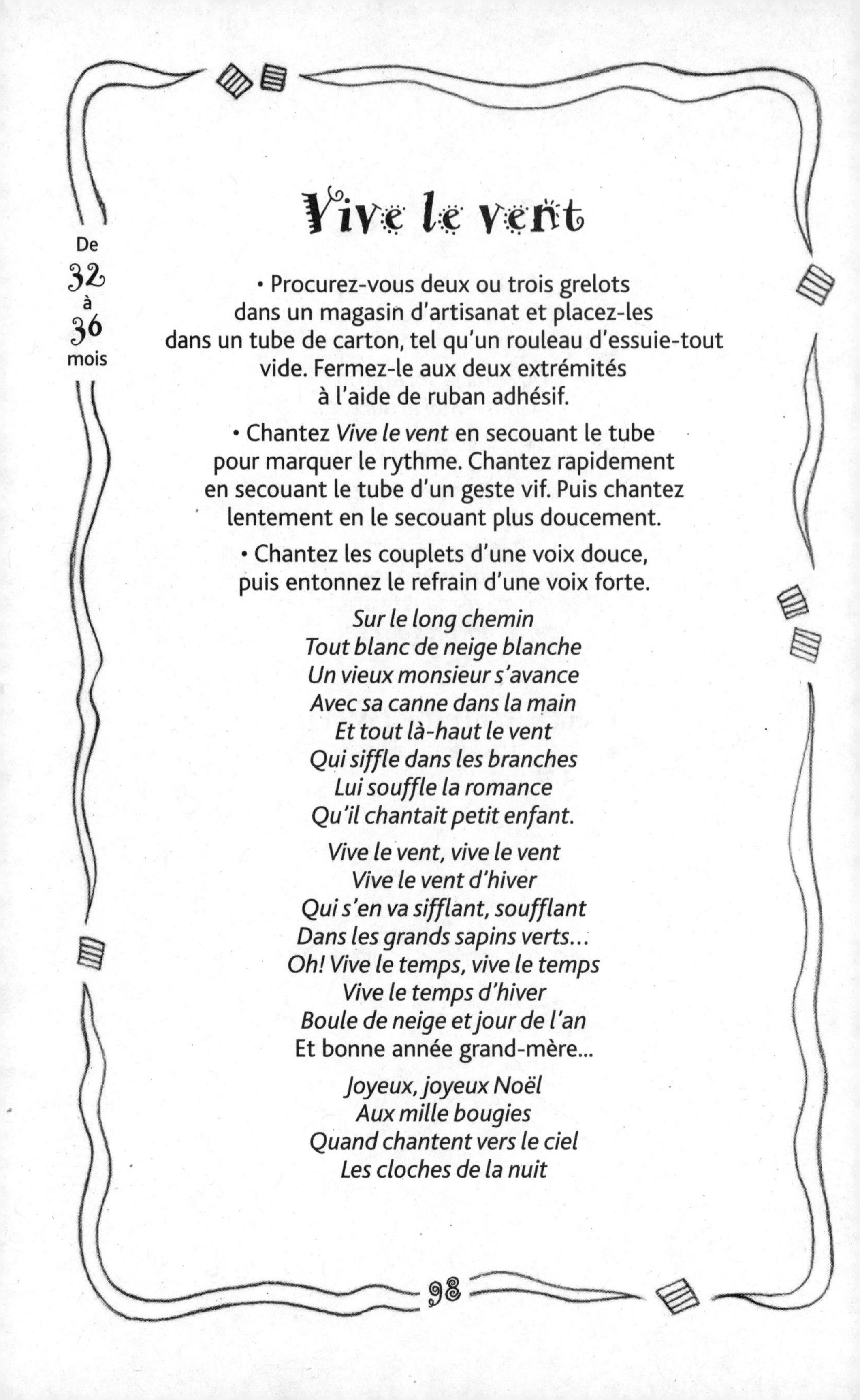

Vive le vent

De 32 à 36 mois

• Procurez-vous deux ou trois grelots dans un magasin d'artisanat et placez-les dans un tube de carton, tel qu'un rouleau d'essuie-tout vide. Fermez-le aux deux extrémités à l'aide de ruban adhésif.

• Chantez *Vive le vent* en secouant le tube pour marquer le rythme. Chantez rapidement en secouant le tube d'un geste vif. Puis chantez lentement en le secouant plus doucement.

• Chantez les couplets d'une voix douce, puis entonnez le refrain d'une voix forte.

Sur le long chemin
Tout blanc de neige blanche
Un vieux monsieur s'avance
Avec sa canne dans la main
Et tout là-haut le vent
Qui siffle dans les branches
Lui souffle la romance
Qu'il chantait petit enfant.

Vive le vent, vive le vent
Vive le vent d'hiver
Qui s'en va sifflant, soufflant
Dans les grands sapins verts...
Oh! Vive le temps, vive le temps
Vive le temps d'hiver
Boule de neige et jour de l'an
Et bonne année grand-mère...

Joyeux, joyeux Noël
Aux mille bougies
Quand chantent vers le ciel
Les cloches de la nuit

Oh! Vive le vent, vive le vent
Vive le vent d'hiver
Qui rapporte aux vieux enfants
Leurs souvenirs d'hier...

Et le vieux monsieur
Descend vers le village
C'est l'heure où tout est sage
Et l'ombre danse au coin du feu
Mais dans chaque maison
Il flotte un air de fête
Partout la table est prête
Et l'on entend la même chanson
(refrain)

Boule de neige et jour de l'an
Et bonne année grand-mère
Vive le vent d'hiver!

* * *

Cette activité favorise :
L'apprentissage du rythme

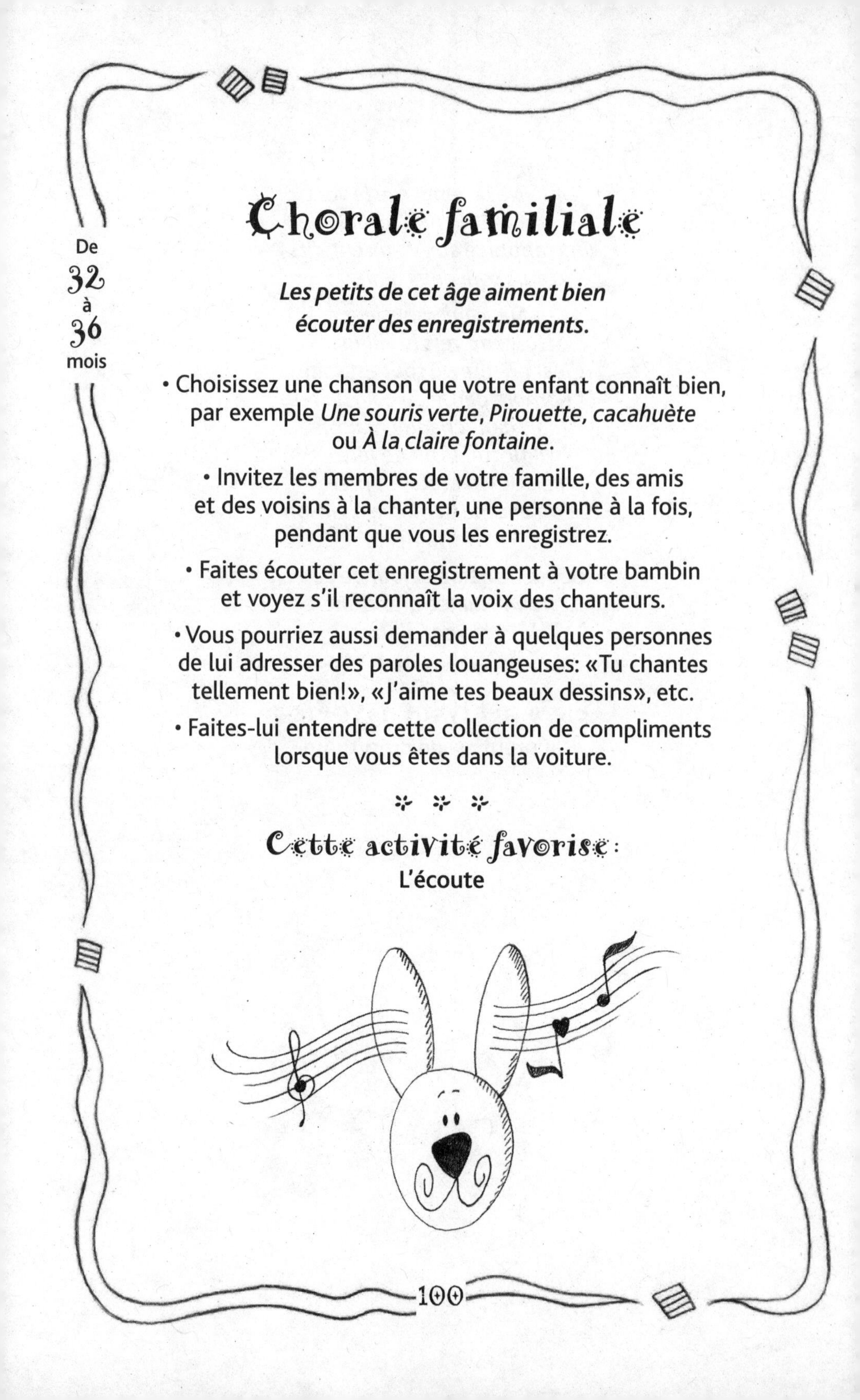

Chorale familiale

De 32 à 36 mois

Les petits de cet âge aiment bien écouter des enregistrements.

• Choisissez une chanson que votre enfant connaît bien, par exemple *Une souris verte*, *Pirouette, cacahuète* ou *À la claire fontaine*.

• Invitez les membres de votre famille, des amis et des voisins à la chanter, une personne à la fois, pendant que vous les enregistrez.

• Faites écouter cet enregistrement à votre bambin et voyez s'il reconnaît la voix des chanteurs.

• Vous pourriez aussi demander à quelques personnes de lui adresser des paroles louangeuses: «Tu chantes tellement bien!», «J'aime tes beaux dessins», etc.

• Faites-lui entendre cette collection de compliments lorsque vous êtes dans la voiture.

Cette activité favorise :

L'écoute

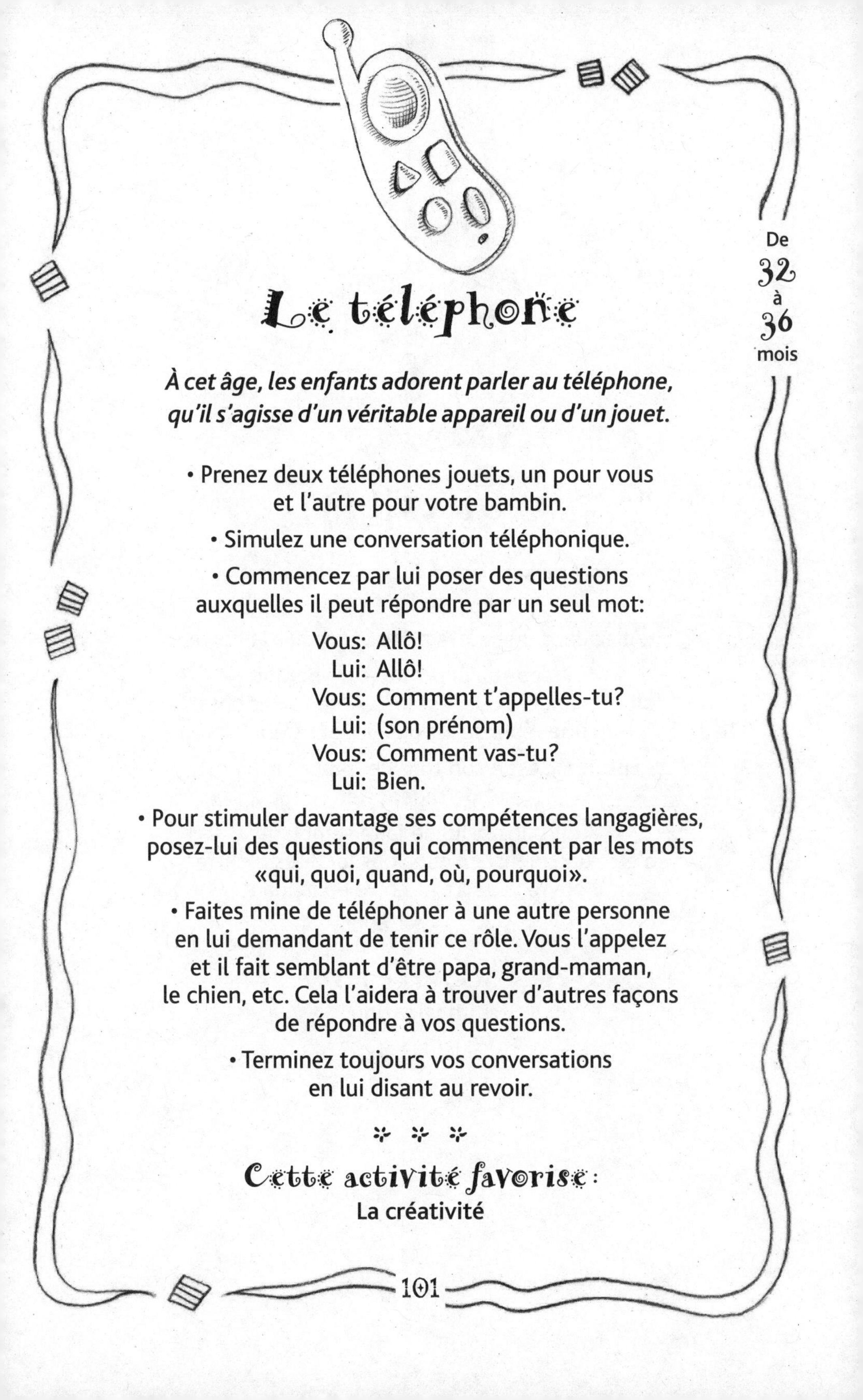

De 32 à 36 mois

Le téléphone

À cet âge, les enfants adorent parler au téléphone, qu'il s'agisse d'un véritable appareil ou d'un jouet.

• Prenez deux téléphones jouets, un pour vous et l'autre pour votre bambin.

• Simulez une conversation téléphonique.

• Commencez par lui poser des questions auxquelles il peut répondre par un seul mot:

Vous: Allô!
Lui: Allô!
Vous: Comment t'appelles-tu?
Lui: (son prénom)
Vous: Comment vas-tu?
Lui: Bien.

• Pour stimuler davantage ses compétences langagières, posez-lui des questions qui commencent par les mots «qui, quoi, quand, où, pourquoi».

• Faites mine de téléphoner à une autre personne en lui demandant de tenir ce rôle. Vous l'appelez et il fait semblant d'être papa, grand-maman, le chien, etc. Cela l'aidera à trouver d'autres façons de répondre à vos questions.

• Terminez toujours vos conversations en lui disant au revoir.

Cette activité favorise:

La créativité

De 32 à 36 mois

Qui est là?

• Amusez-vous à frapper à la porte avec votre tout-petit.

• Allez dans une autre pièce et fermez la porte.

• Frappez à la porte. Votre enfant doit demander: «Qui est là?» Après avoir obtenu une réponse, il vous dit: «Entre!»

• Ensuite, c'est à son tour de frapper à la porte et de s'identifier.

• Proposez-lui de faire semblant d'être un chien. Lorsque vous lui dites d'entrer, il ouvre la porte et entre en jappant.

* * *

Cette activité favorise:
L'imagination

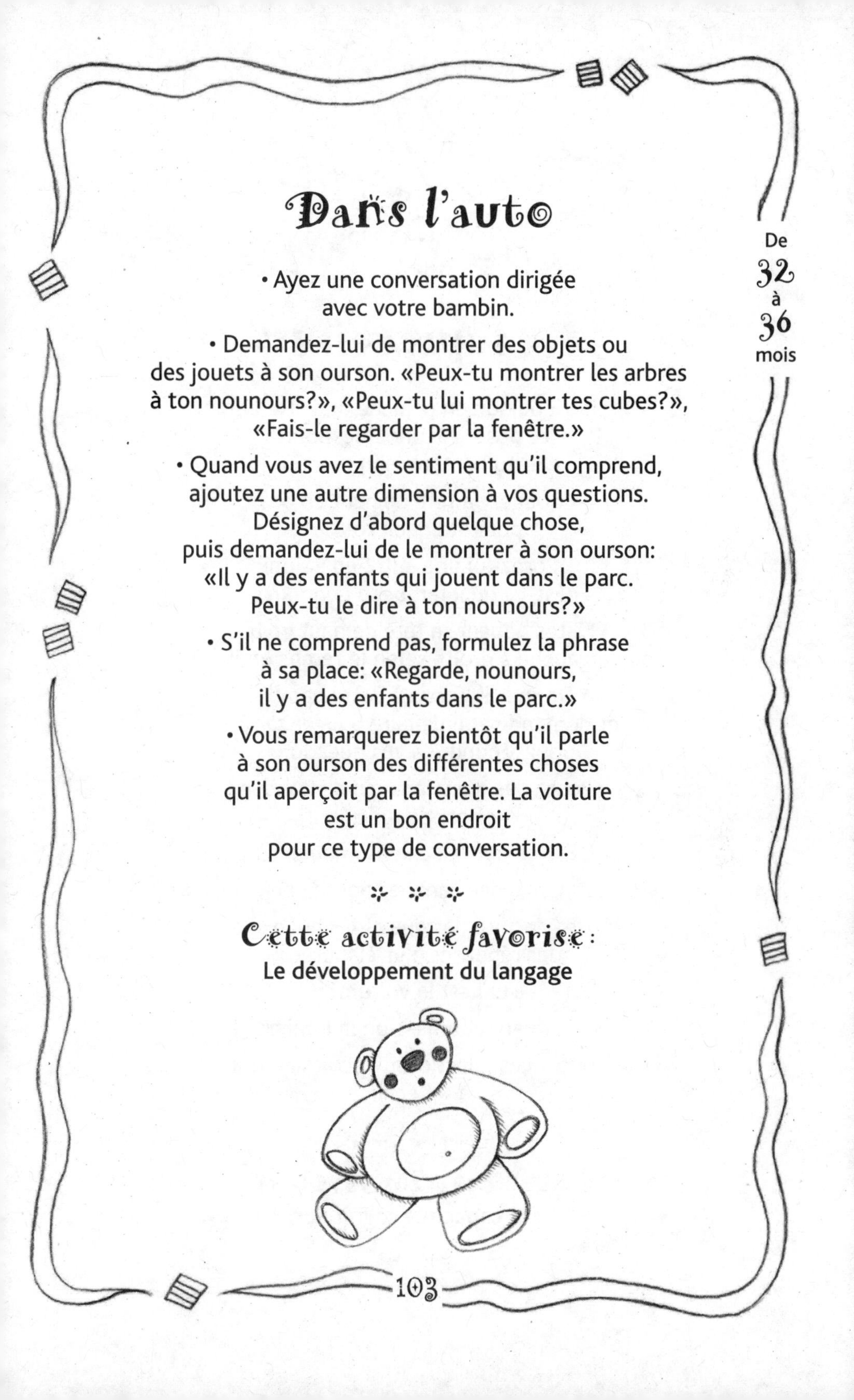

Dans l'auto

De 32 à 36 mois

• Ayez une conversation dirigée avec votre bambin.

• Demandez-lui de montrer des objets ou des jouets à son ourson. «Peux-tu montrer les arbres à ton nounours?», «Peux-tu lui montrer tes cubes?», «Fais-le regarder par la fenêtre.»

• Quand vous avez le sentiment qu'il comprend, ajoutez une autre dimension à vos questions. Désignez d'abord quelque chose, puis demandez-lui de le montrer à son ourson: «Il y a des enfants qui jouent dans le parc. Peux-tu le dire à ton nounours?»

• S'il ne comprend pas, formulez la phrase à sa place: «Regarde, nounours, il y a des enfants dans le parc.»

• Vous remarquerez bientôt qu'il parle à son ourson des différentes choses qu'il aperçoit par la fenêtre. La voiture est un bon endroit pour ce type de conversation.

* * *

Cette activité favorise:
Le développement du langage

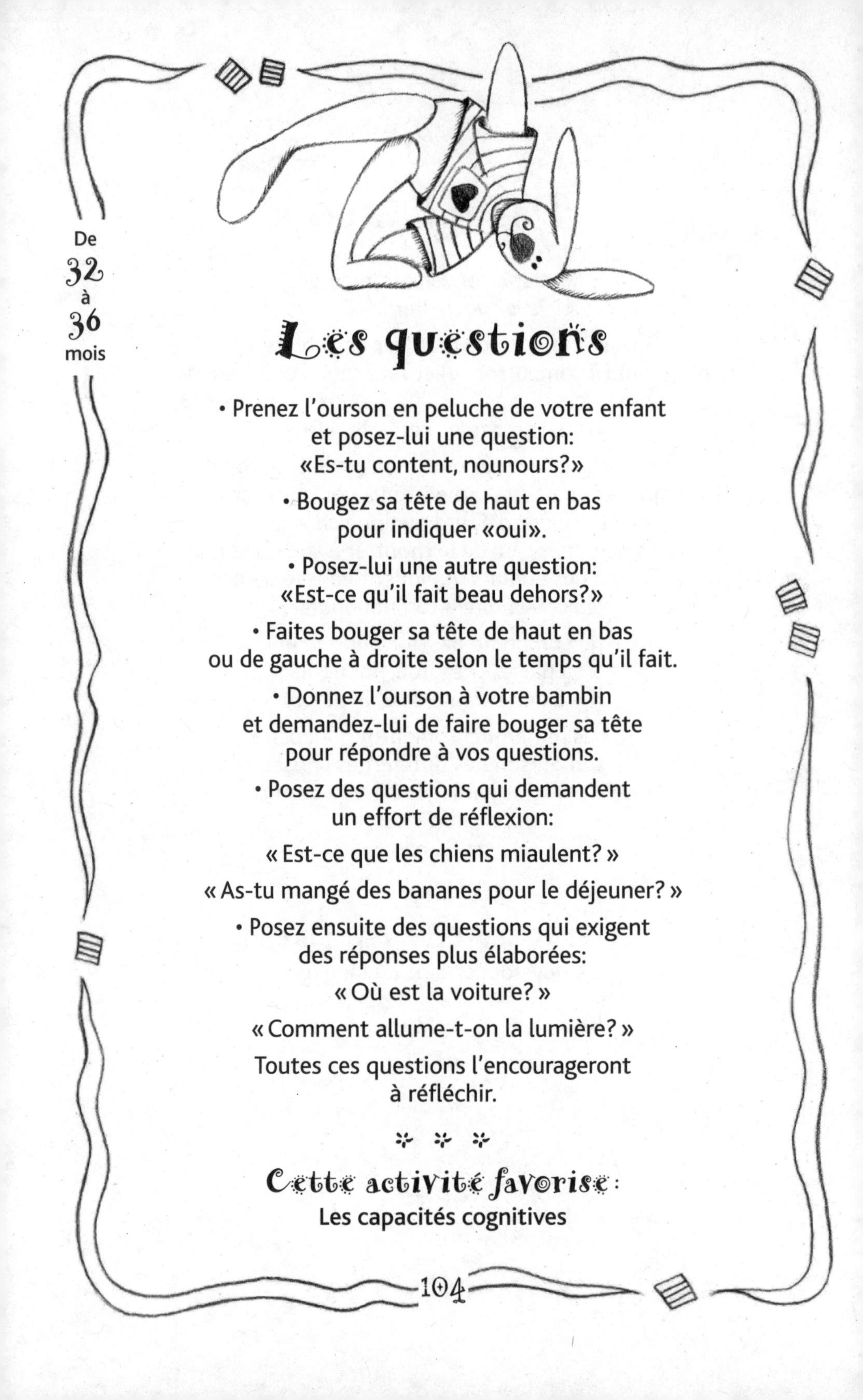

De 32 à 36 mois

Les questions

• Prenez l'ourson en peluche de votre enfant et posez-lui une question: «Es-tu content, nounours?»

• Bougez sa tête de haut en bas pour indiquer «oui».

• Posez-lui une autre question: «Est-ce qu'il fait beau dehors?»

• Faites bouger sa tête de haut en bas ou de gauche à droite selon le temps qu'il fait.

• Donnez l'ourson à votre bambin et demandez-lui de faire bouger sa tête pour répondre à vos questions.

• Posez des questions qui demandent un effort de réflexion:

« Est-ce que les chiens miaulent? »

« As-tu mangé des bananes pour le déjeuner? »

• Posez ensuite des questions qui exigent des réponses plus élaborées:

« Où est la voiture? »

« Comment allume-t-on la lumière? »

Toutes ces questions l'encourageront à réfléchir.

* * *

Cette activité favorise:
Les capacités cognitives

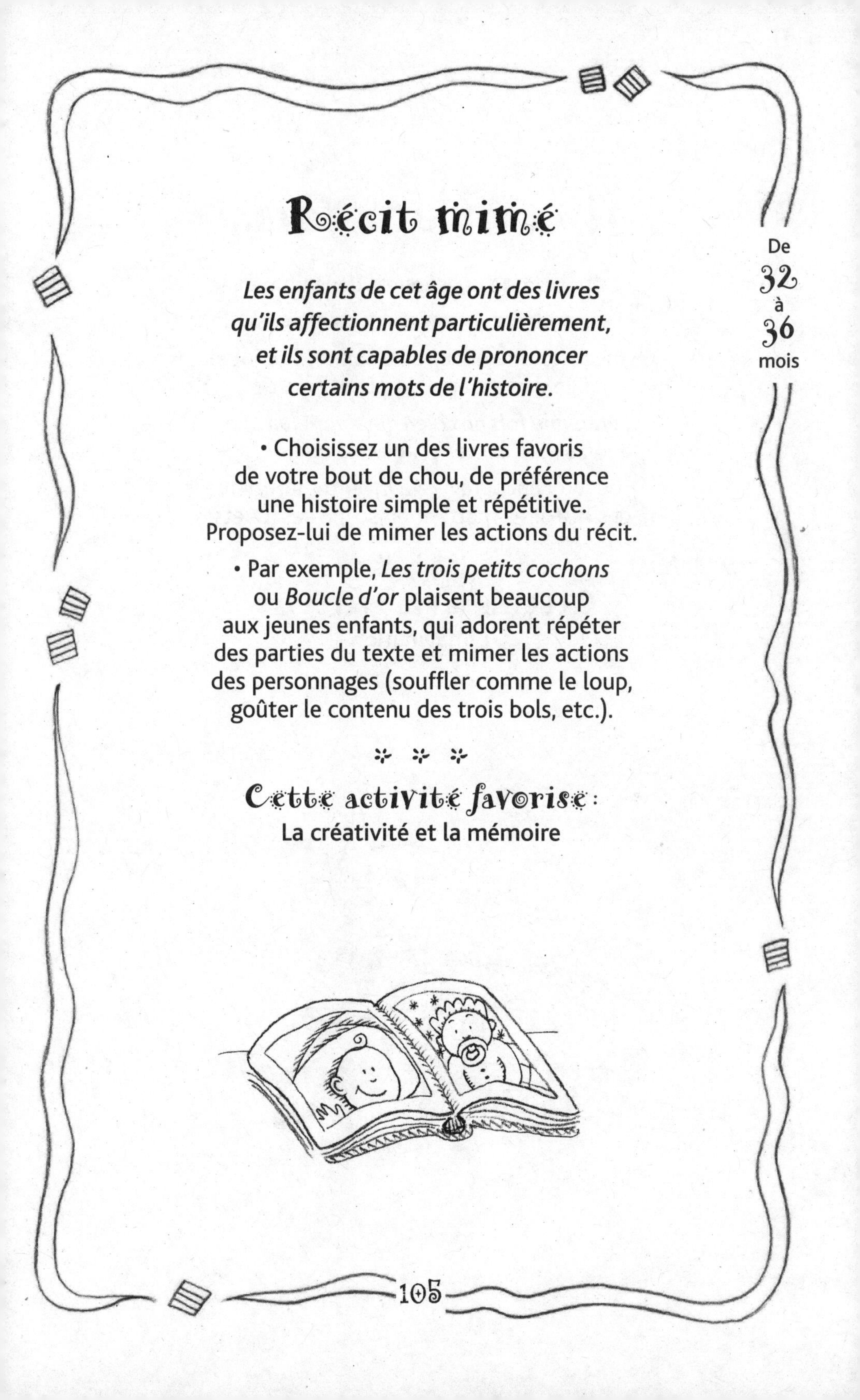

Récit mimé

De 32 à 36 mois

Les enfants de cet âge ont des livres qu'ils affectionnent particulièrement, et ils sont capables de prononcer certains mots de l'histoire.

• Choisissez un des livres favoris de votre bout de chou, de préférence une histoire simple et répétitive. Proposez-lui de mimer les actions du récit.

• Par exemple, *Les trois petits cochons* ou *Boucle d'or* plaisent beaucoup aux jeunes enfants, qui adorent répéter des parties du texte et mimer les actions des personnages (souffler comme le loup, goûter le contenu des trois bols, etc.).

* * *

Cette activité favorise :

La créativité et la mémoire

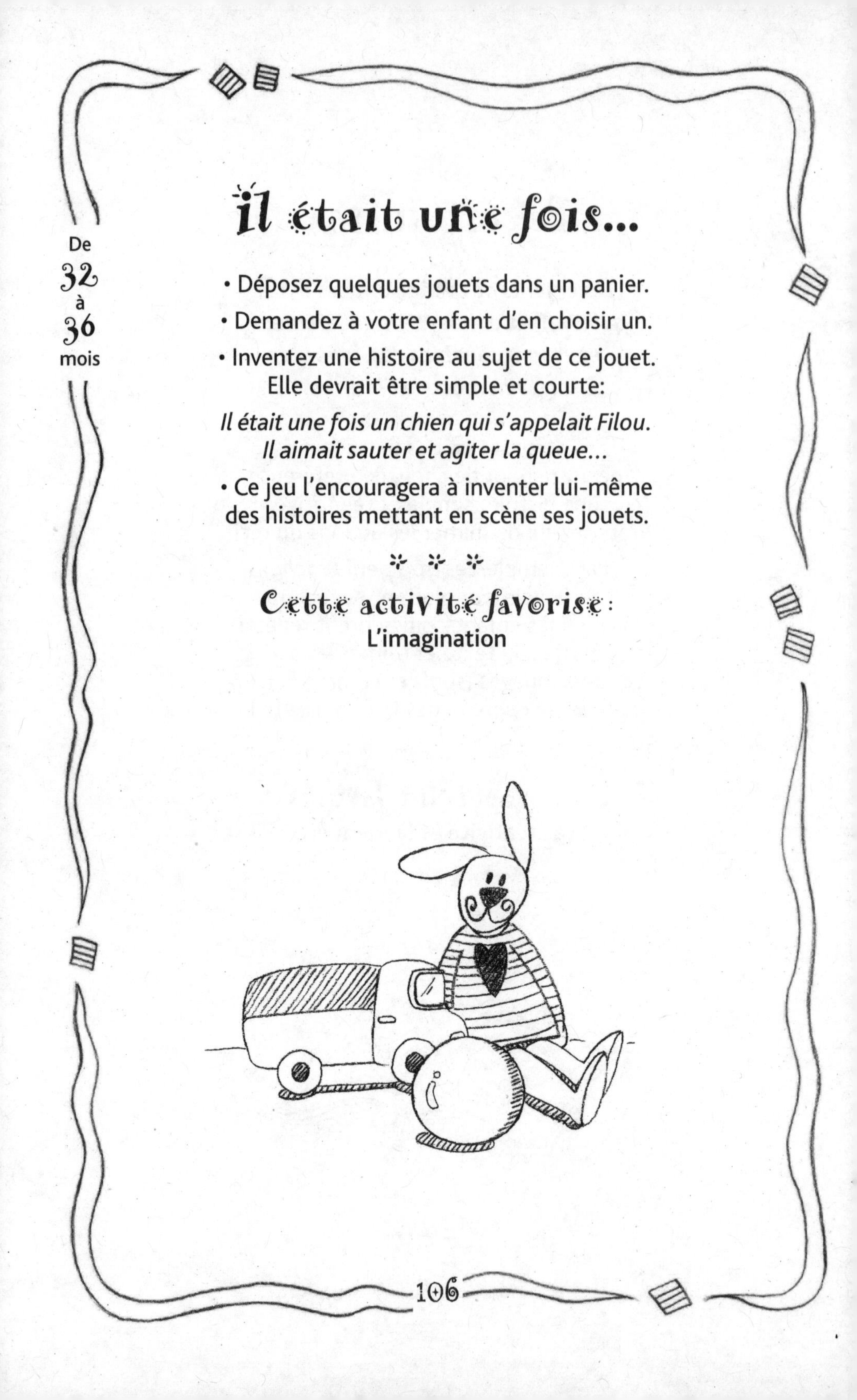

De
32
à
36
mois

Il était une fois...

- Déposez quelques jouets dans un panier.
- Demandez à votre enfant d'en choisir un.
- Inventez une histoire au sujet de ce jouet. Elle devrait être simple et courte:

Il était une fois un chien qui s'appelait Filou. Il aimait sauter et agiter la queue...

- Ce jeu l'encouragera à inventer lui-même des histoires mettant en scène ses jouets.

* * *

Cette activité favorise:
L'imagination

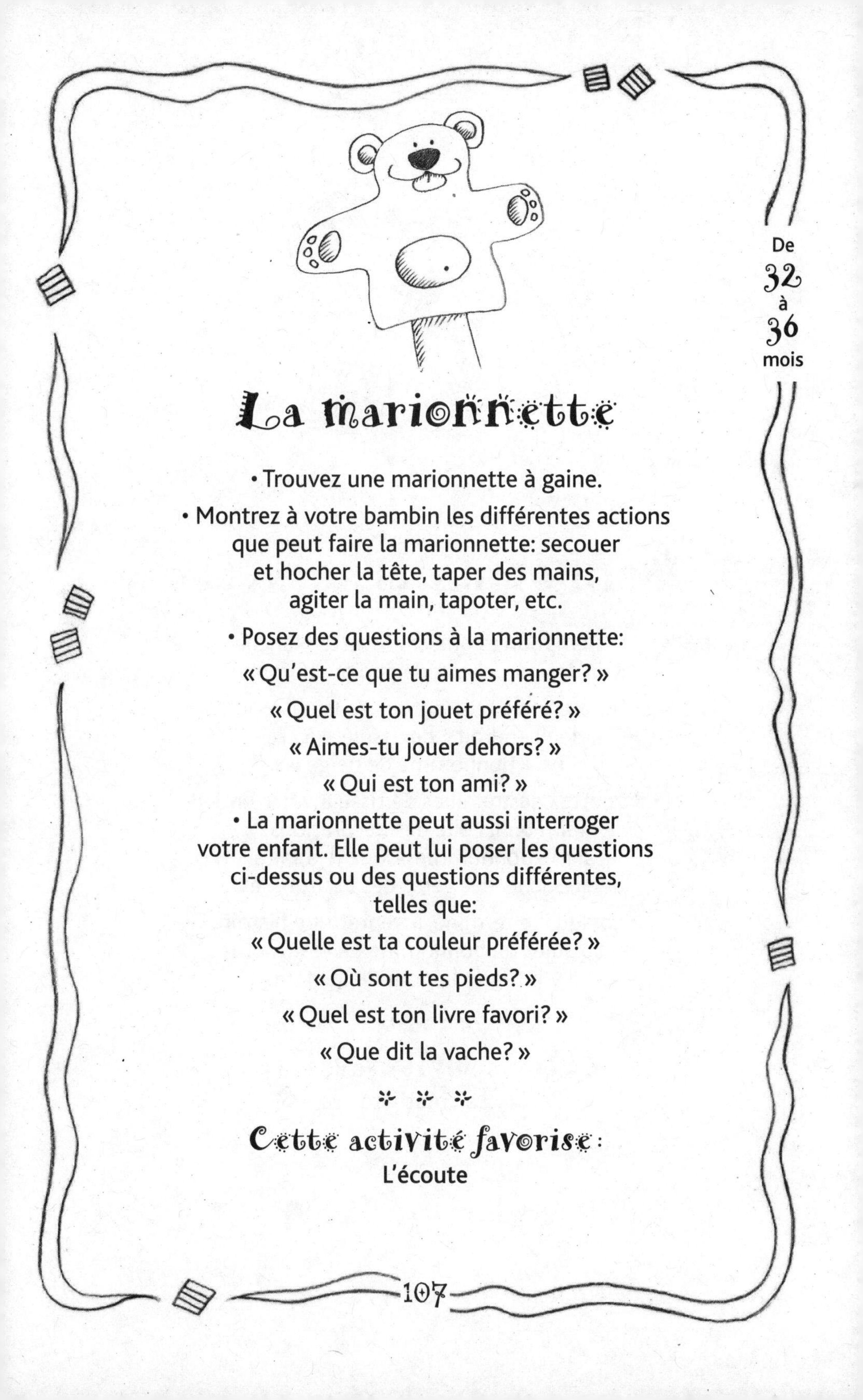

De
32
à
36
mois

La marionnette

• Trouvez une marionnette à gaine.

• Montrez à votre bambin les différentes actions que peut faire la marionnette: secouer et hocher la tête, taper des mains, agiter la main, tapoter, etc.

• Posez des questions à la marionnette:

« Qu'est-ce que tu aimes manger? »

« Quel est ton jouet préféré? »

« Aimes-tu jouer dehors? »

« Qui est ton ami? »

• La marionnette peut aussi interroger votre enfant. Elle peut lui poser les questions ci-dessus ou des questions différentes, telles que:

« Quelle est ta couleur préférée? »

« Où sont tes pieds? »

« Quel est ton livre favori? »

« Que dit la vache? »

* * *

Cette activité favorise:
L'écoute

De
32
à
36
mois

Bonhomme chaussette

• Rembourrez une chaussette blanche avec des mouchoirs de papier chiffonnés.

• Nouez une ficelle autour de la chaussette à deux endroits, de manière à créer un « bonhomme de neige ».

• Remettez des retailles de tissu à votre enfant afin qu'il colle des décorations sur le bonhomme. Aidez-le à faire une bouche, des yeux, des boutons, etc.

• Lorsqu'il a terminé, inventez une histoire au sujet du bonhomme en essayant d'y intégrer le nom de l'enfant.

* * *

Cette activité favorise :

La créativité

Lapin coquin

De 32 à 36 mois

• Dessinez une tête de lapin ou découpez-la dans un magazine ou un album à colorier.

• Collez cette image à l'extrémité d'un bâtonnet de bois.

• Percez un trou à la base d'un gobelet de carton et enfoncez le bâton dans l'orifice.

• La tête du lapin devrait être dissimulée dans le gobelet. Votre enfant pourra pousser et tirer le bâtonnet pour faire apparaître et disparaître le lapin.

• Pour accompagner le jeu, récitez cette comptine en l'encourageant à sortir le lapin au mot «coucou»:

Un petit lapin
s'est caché dans le jardin
Cherchez-moi, coucou! coucou!
Je suis caché sous un chou!

* * *

Cette activité favorise :
L'imagination

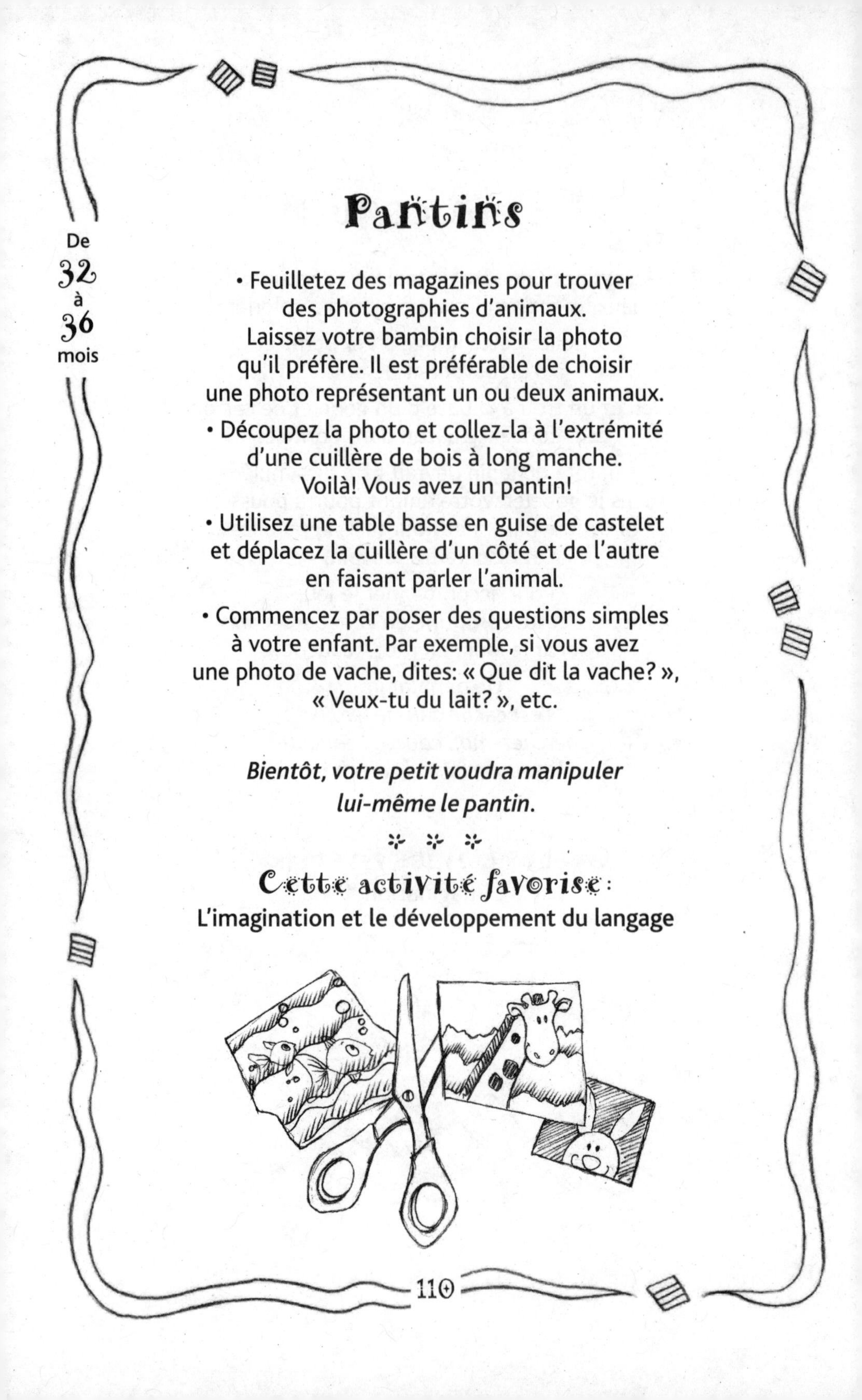

De 32 à 36 mois

Pantins

• Feuilletez des magazines pour trouver des photographies d'animaux. Laissez votre bambin choisir la photo qu'il préfère. Il est préférable de choisir une photo représentant un ou deux animaux.

• Découpez la photo et collez-la à l'extrémité d'une cuillère de bois à long manche. Voilà! Vous avez un pantin!

• Utilisez une table basse en guise de castelet et déplacez la cuillère d'un côté et de l'autre en faisant parler l'animal.

• Commencez par poser des questions simples à votre enfant. Par exemple, si vous avez une photo de vache, dites: « Que dit la vache? », « Veux-tu du lait? », etc.

Bientôt, votre petit voudra manipuler lui-même le pantin.

Cette activité favorise :

L'imagination et le développement du langage

De 32 à 36 mois

Histoires loufoques

Les enfants de deux ans développent peu à peu leur sens de l'humour. Ils trouvent très cocasse le fait de désigner des objets familiers par un autre nom.

• Prenez un des livres préférés de votre bambin et lisez-le avec lui.

• Regardez les illustrations et désignez un animal ou un personnage en lui donnant un autre nom. Par exemple, montrez-lui un chien en disant qu'il s'agit d'un chat.

• Il trouvera cela très drôle et voudra que vous recommenciez.

• Le fait d'employer le mauvais nom pour désigner des animaux et des parties du corps est hilarant pour les jeunes enfants. Dites « nombril » pour désigner son nez, «genoux» pour ses orteils, etc.

Cette activité favorise :

La créativité

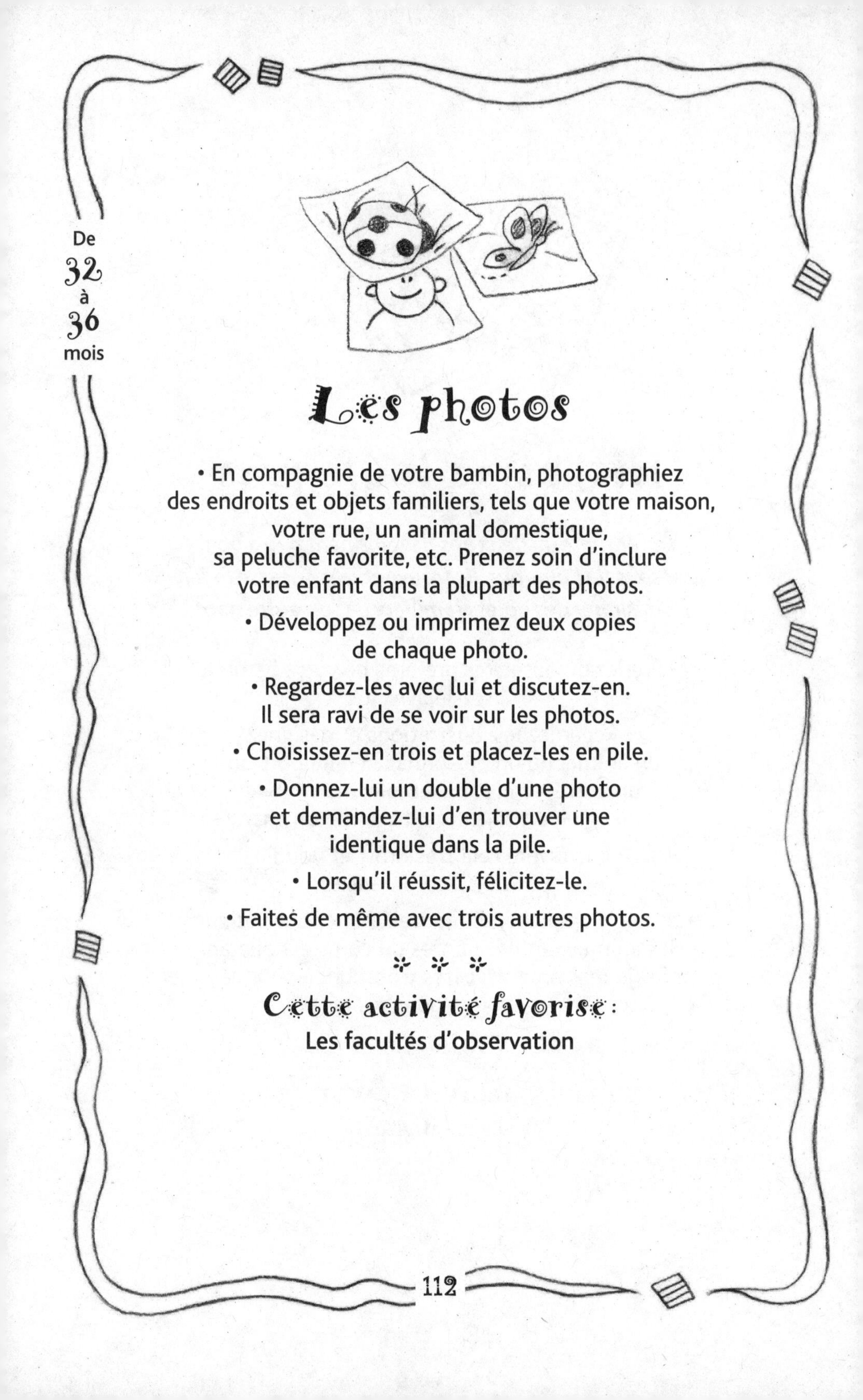

De 32 à 36 mois

Les photos

• En compagnie de votre bambin, photographiez des endroits et objets familiers, tels que votre maison, votre rue, un animal domestique, sa peluche favorite, etc. Prenez soin d'inclure votre enfant dans la plupart des photos.

• Développez ou imprimez deux copies de chaque photo.

• Regardez-les avec lui et discutez-en. Il sera ravi de se voir sur les photos.

• Choisissez-en trois et placez-les en pile.

• Donnez-lui un double d'une photo et demandez-lui d'en trouver une identique dans la pile.

• Lorsqu'il réussit, félicitez-le.

• Faites de même avec trois autres photos.

* * *

Cette activité favorise :
Les facultés d'observation

Pareil, pas pareil

De 32 à 36 mois

- Réunissez quatre paires d'objets identiques: ustensiles, cubes, gobelets, gants, etc.
- Placez-les sur le sol et mélangez-les.
- Choisissez un objet et demandez à votre enfant d'en trouver un pareil dans le tas.
- Continuez à choisir des objets en lui demandant de les associer.
- Élevez le niveau de difficulté en augmentant le nombre d'objets dans le tas.
- Chaque fois qu'il réussit à trouver l'objet voulu, dites: « Oui, ils sont pareils. »

* * *

Cette activité favorise :

Les facultés d'observation

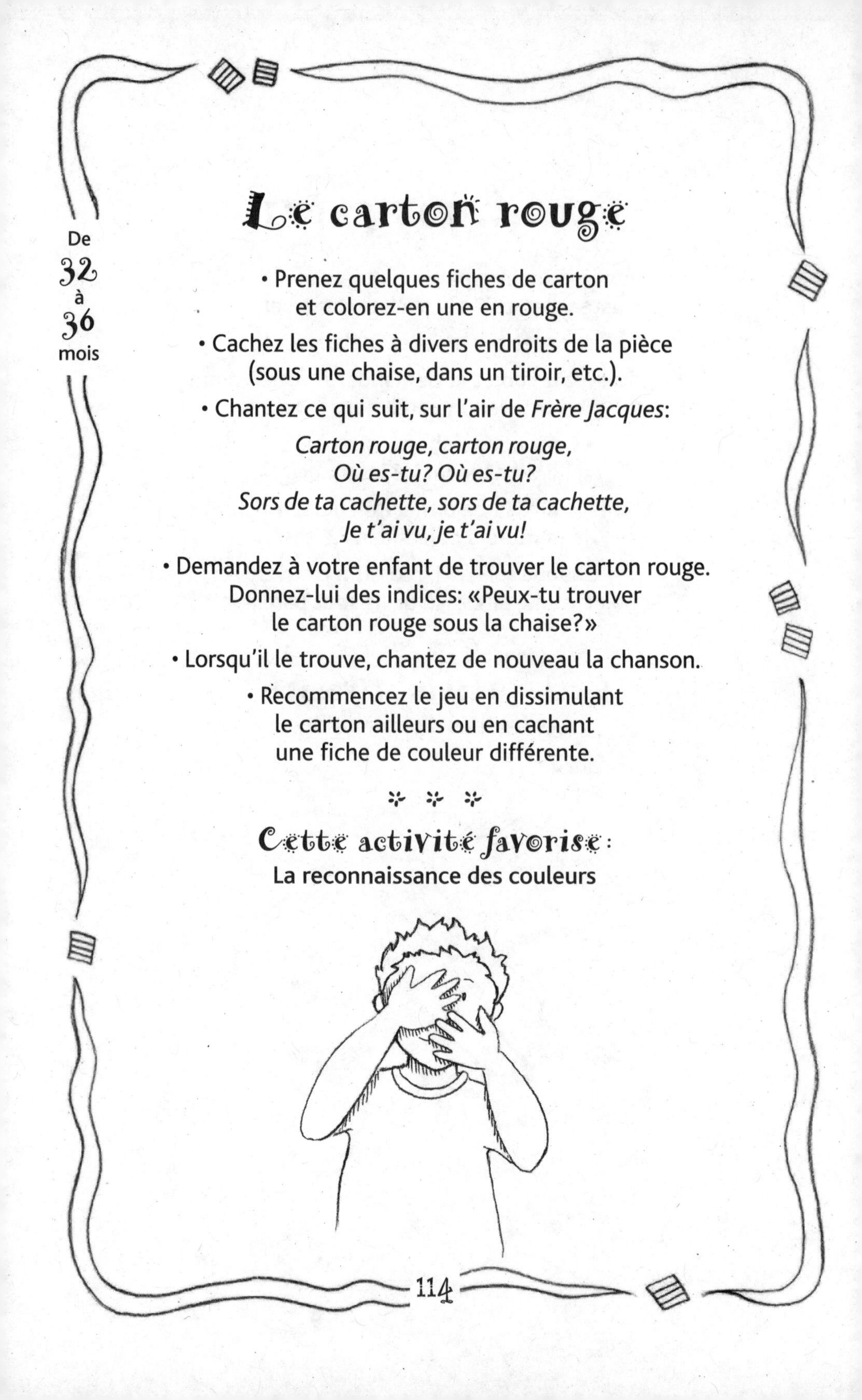

Le carton rouge

De
32
à
36
mois

• Prenez quelques fiches de carton et colorez-en une en rouge.

• Cachez les fiches à divers endroits de la pièce (sous une chaise, dans un tiroir, etc.).

• Chantez ce qui suit, sur l'air de *Frère Jacques*:

Carton rouge, carton rouge,
Où es-tu? Où es-tu?
Sors de ta cachette, sors de ta cachette,
Je t'ai vu, je t'ai vu!

• Demandez à votre enfant de trouver le carton rouge. Donnez-lui des indices: «Peux-tu trouver le carton rouge sous la chaise?»

• Lorsqu'il le trouve, chantez de nouveau la chanson.

• Recommencez le jeu en dissimulant le carton ailleurs ou en cachant une fiche de couleur différente.

* * *

Cette activité favorise:

La reconnaissance des couleurs

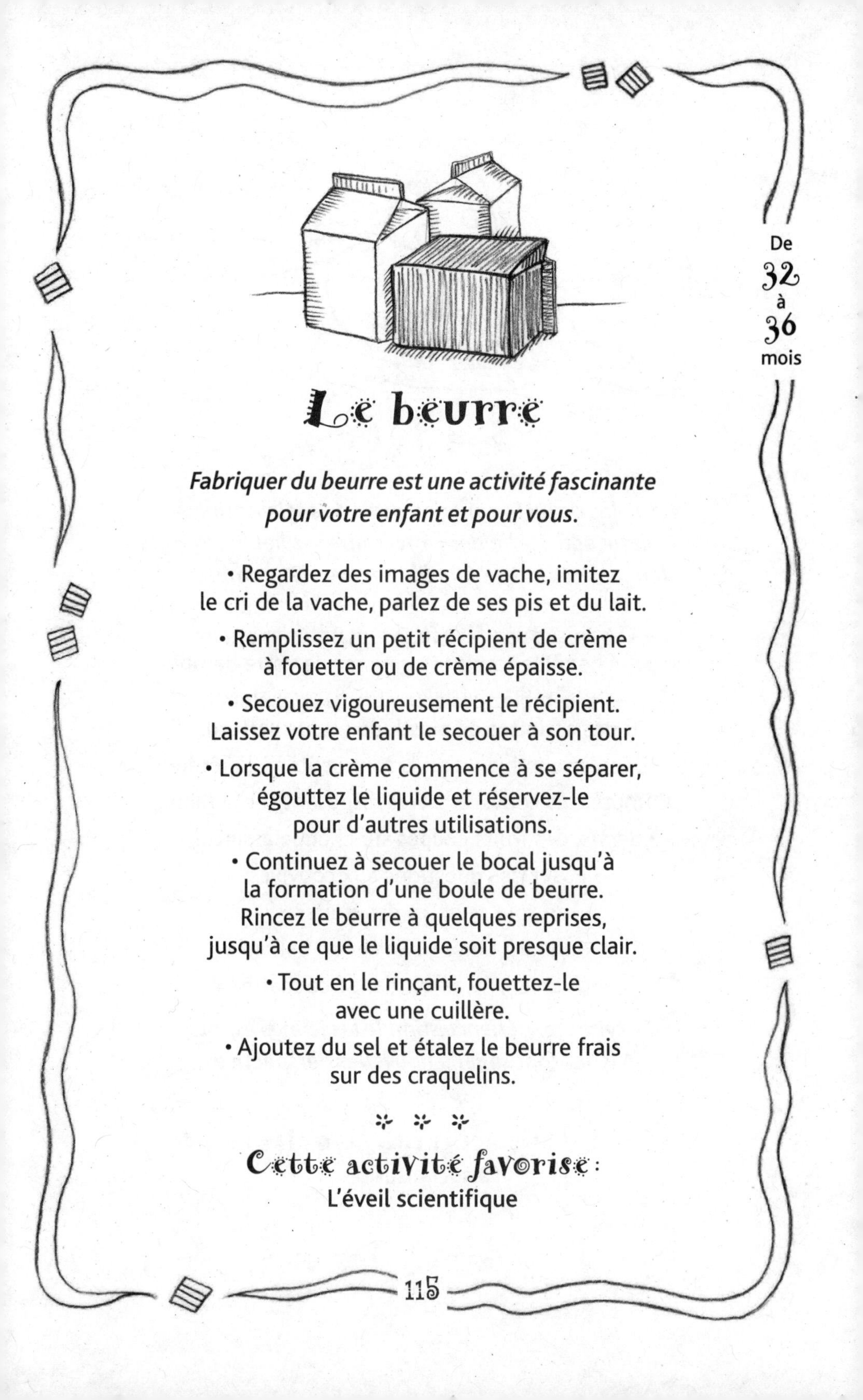

De 32 à 36 mois

Le beurre

Fabriquer du beurre est une activité fascinante pour votre enfant et pour vous.

• Regardez des images de vache, imitez le cri de la vache, parlez de ses pis et du lait.

• Remplissez un petit récipient de crème à fouetter ou de crème épaisse.

• Secouez vigoureusement le récipient. Laissez votre enfant le secouer à son tour.

• Lorsque la crème commence à se séparer, égouttez le liquide et réservez-le pour d'autres utilisations.

• Continuez à secouer le bocal jusqu'à la formation d'une boule de beurre. Rincez le beurre à quelques reprises, jusqu'à ce que le liquide soit presque clair.

• Tout en le rinçant, fouettez-le avec une cuillère.

• Ajoutez du sel et étalez le beurre frais sur des craquelins.

* * *

Cette activité favorise :
L'éveil scientifique

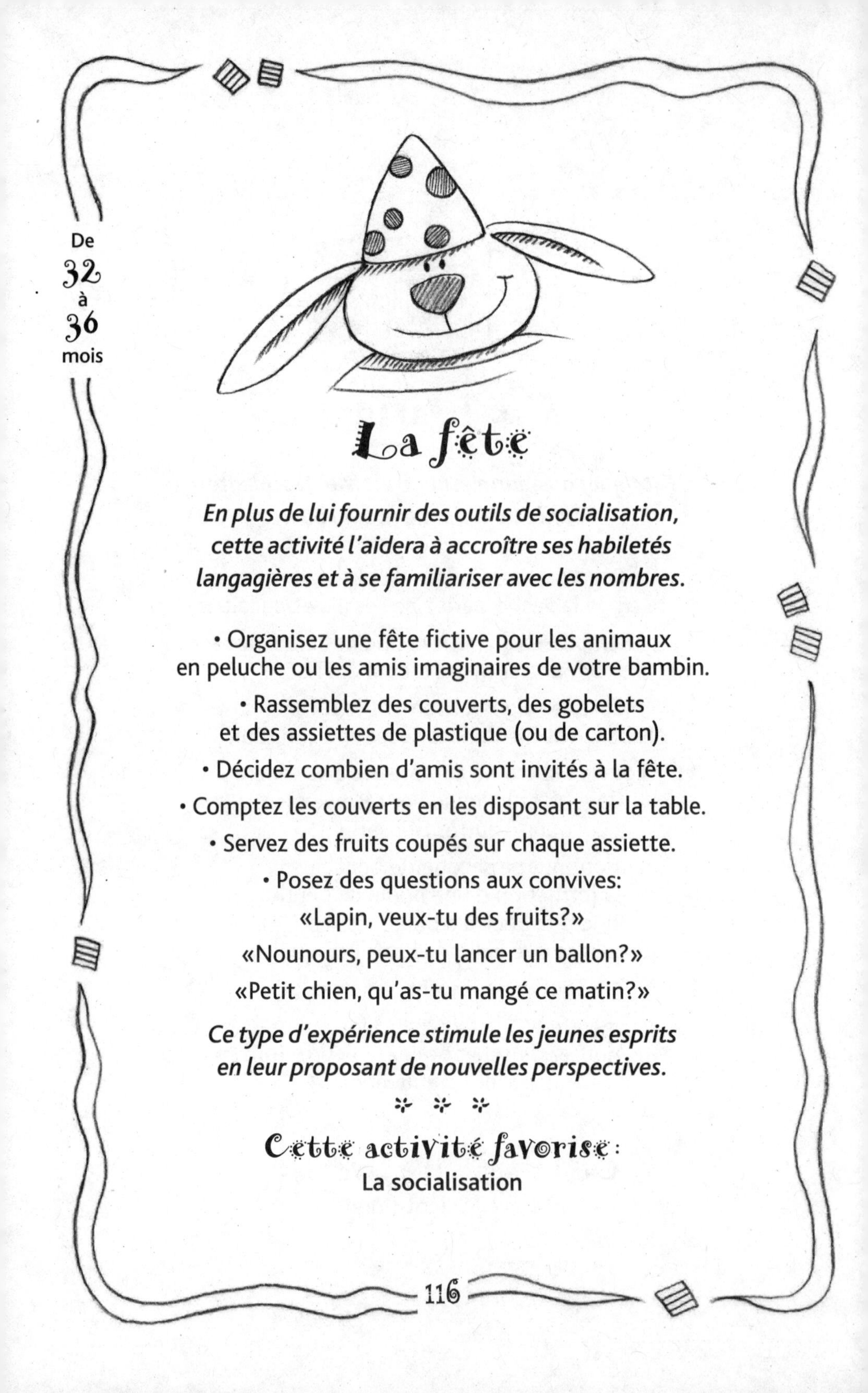

De 32 à 36 mois

La fête

En plus de lui fournir des outils de socialisation, cette activité l'aidera à accroître ses habiletés langagières et à se familiariser avec les nombres.

• Organisez une fête fictive pour les animaux en peluche ou les amis imaginaires de votre bambin.

• Rassemblez des couverts, des gobelets et des assiettes de plastique (ou de carton).

• Décidez combien d'amis sont invités à la fête.

• Comptez les couverts en les disposant sur la table.

• Servez des fruits coupés sur chaque assiette.

• Posez des questions aux convives:

«Lapin, veux-tu des fruits?»

«Nounours, peux-tu lancer un ballon?»

«Petit chien, qu'as-tu mangé ce matin?»

Ce type d'expérience stimule les jeunes esprits en leur proposant de nouvelles perspectives.

Cette activité favorise:
La socialisation

La peinture

De 32 à 36 mois

Voici une activité toute simple qui plaira à votre petit.

• Déposez quelques gouttes de peinture sur du papier blanc épais.

• Plus vous variez les couleurs, plus le résultat sera intéressant.

• Pliez la feuille en deux.

• Pendant que le papier est plié, dites à votre enfant de «pousser» la peinture avec ses doigts.

• Dépliez la feuille et admirez le dessin.

* * *

Cette activité favorise :

La créativité

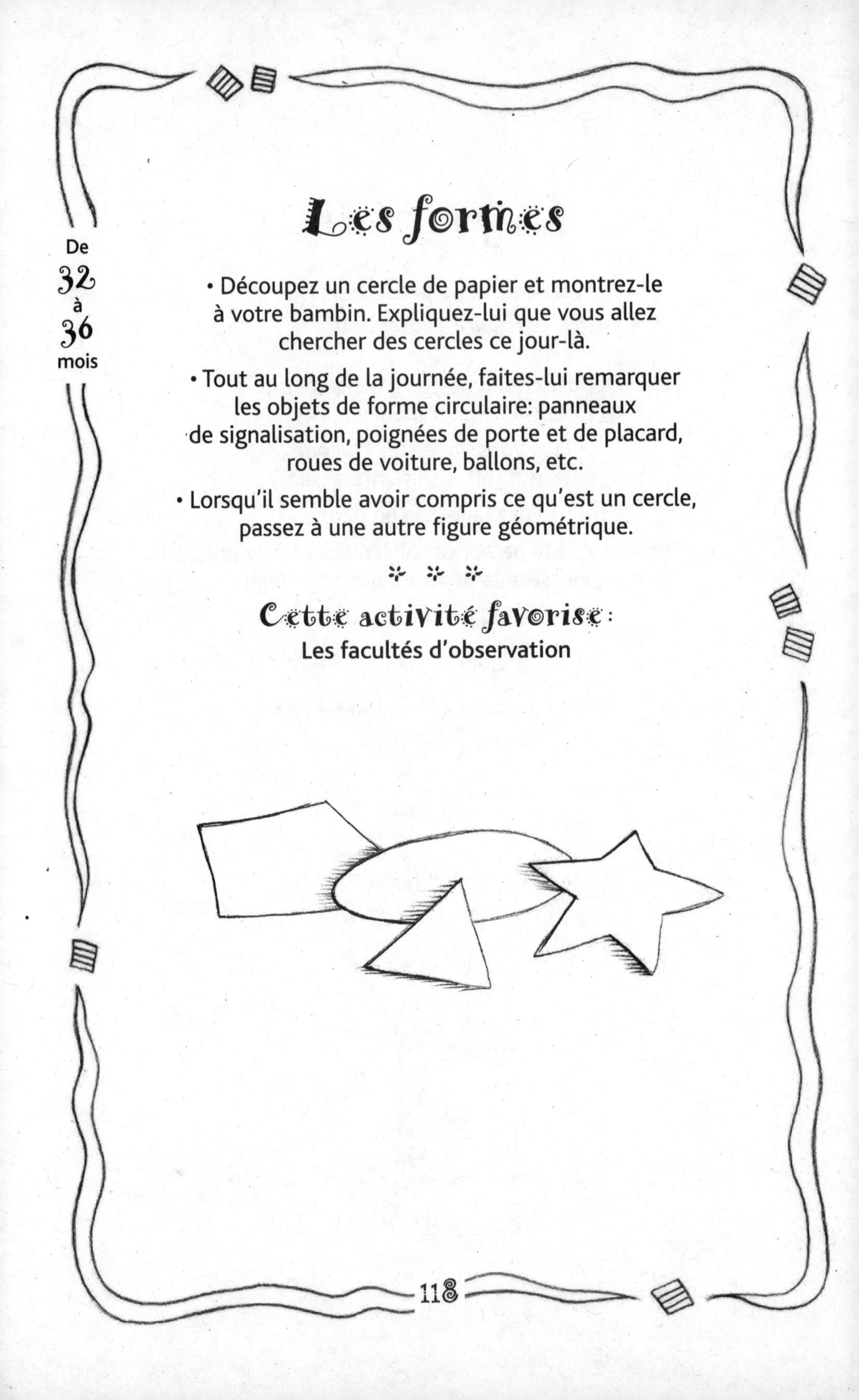

Les formes

De 32 à 36 mois

• Découpez un cercle de papier et montrez-le à votre bambin. Expliquez-lui que vous allez chercher des cercles ce jour-là.

• Tout au long de la journée, faites-lui remarquer les objets de forme circulaire: panneaux de signalisation, poignées de porte et de placard, roues de voiture, ballons, etc.

• Lorsqu'il semble avoir compris ce qu'est un cercle, passez à une autre figure géométrique.

* * *

Cette activité favorise:

Les facultés d'observation

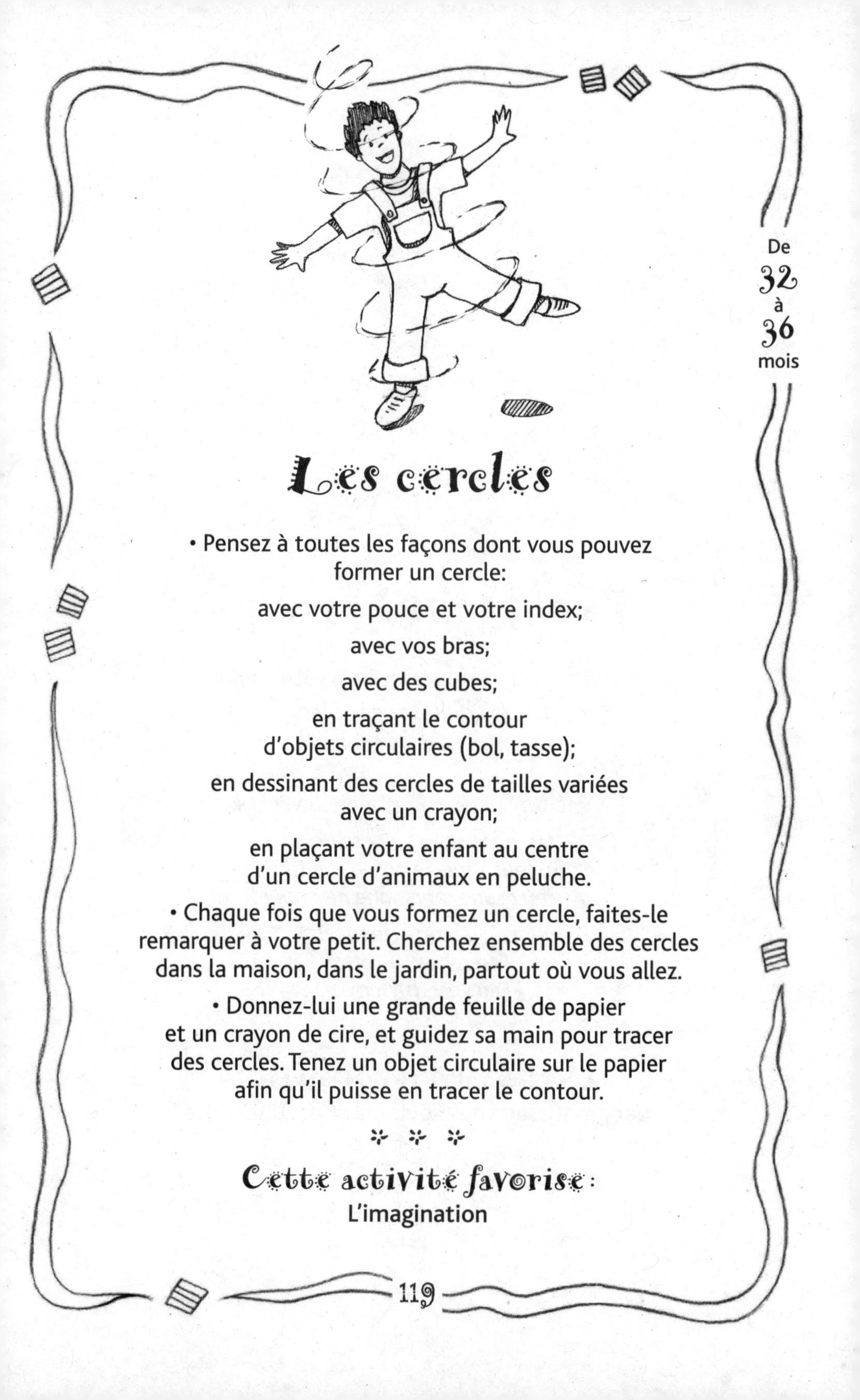

De 32 à 36 mois

Les cercles

• Pensez à toutes les façons dont vous pouvez former un cercle:

avec votre pouce et votre index;

avec vos bras;

avec des cubes;

en traçant le contour d'objets circulaires (bol, tasse);

en dessinant des cercles de tailles variées avec un crayon;

en plaçant votre enfant au centre d'un cercle d'animaux en peluche.

• Chaque fois que vous formez un cercle, faites-le remarquer à votre petit. Cherchez ensemble des cercles dans la maison, dans le jardin, partout où vous allez.

• Donnez-lui une grande feuille de papier et un crayon de cire, et guidez sa main pour tracer des cercles. Tenez un objet circulaire sur le papier afin qu'il puisse en tracer le contour.

* * *

Cette activité favorise:
L'imagination

De
32
à
36
mois

Vert, jaune, rouge

Parlez des feux de circulation à votre enfant.
Il s'agit d'une bonne façon
d'apprendre les couleurs.

• Récitez-lui les comptines suivantes:

Au feu vert, je peux marcher
Au feu jaune, je dois patienter
Au feu rouge, personne ne bouge!

Feu jaune, attendez!
Feu rouge, arrêtez!
Feu vert, traversez!

* * *

Cette activité favorise:

L'apprentissage des couleurs et de la sécurité

Un et deux

De 32 à 36 mois

Un enfant de deux ans qui sait dire les mots «un» et «deux» et qui peut lever un ou deux doigts ne comprend pas nécessairement le concept de nombre. Pour l'aider à assimiler cette notion, proposez-lui des activités où il fait l'expérience des nombres avec plusieurs de ses sens.

- Commencez par lui expliquer la signification de «beaucoup», «un peu» et «un».
- Rassemblez des cubes par groupes de sept, trois et un.
- Montrez-lui le groupe qui a beaucoup de cubes, celui qui en a un peu et celui qui n'en a qu'un.
- Demandez-lui de vous donner un cube.
- Formez d'autres groupes d'objets (cailloux, peluches, etc.).
- Demandez-lui chaque fois de vous en donner un.
- Lorsqu'il semble comprendre la notion de «un», abordez le nombre «deux»: deux chaussettes, deux souliers, deux mains, deux yeux, etc.
- Reprenez le jeu en incluant des groupes de deux.

* * *

Cette activité favorise:

L'apprentissage des nombres

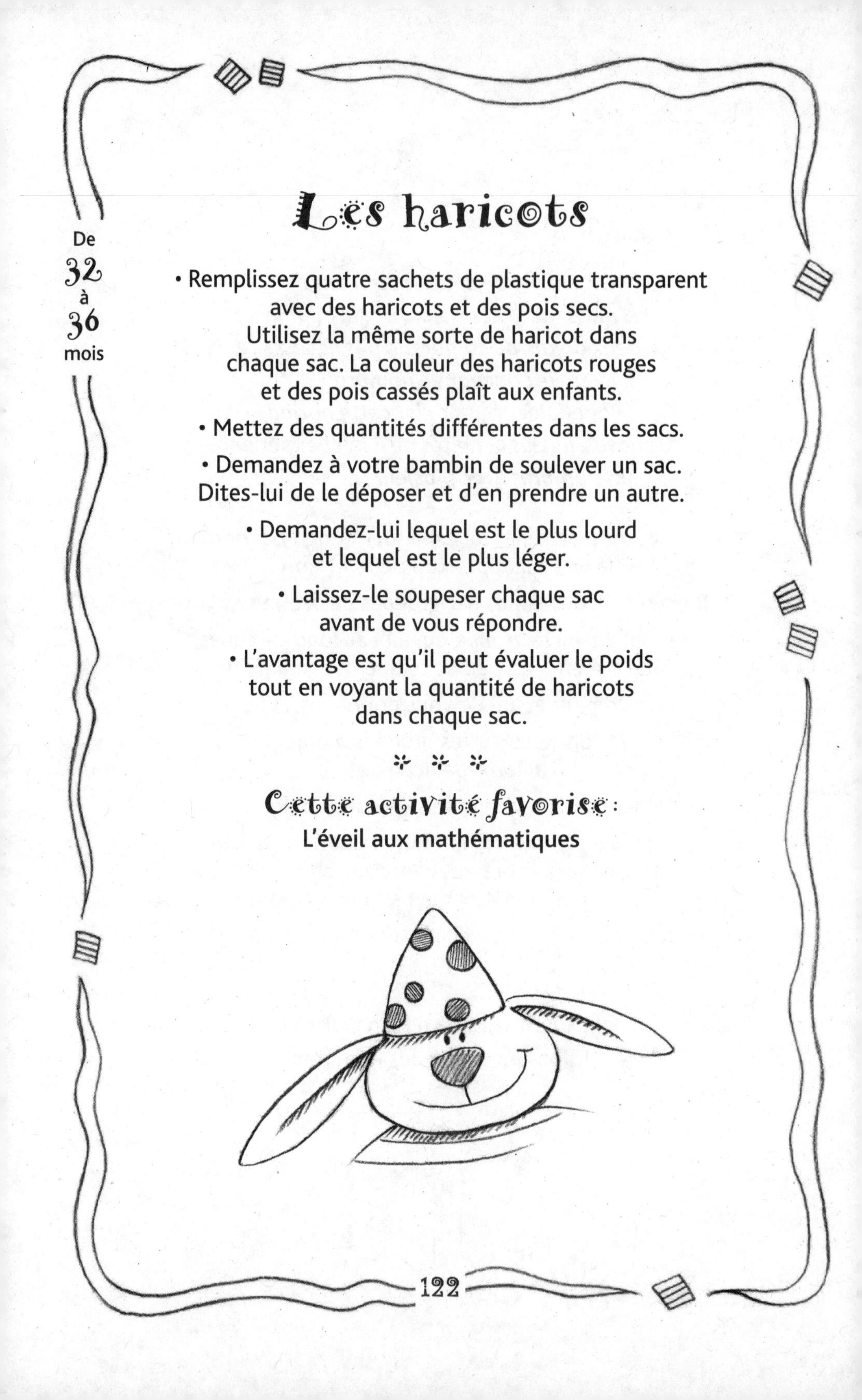

Les haricots

De 32 à 36 mois

• Remplissez quatre sachets de plastique transparent avec des haricots et des pois secs. Utilisez la même sorte de haricot dans chaque sac. La couleur des haricots rouges et des pois cassés plaît aux enfants.

• Mettez des quantités différentes dans les sacs.

• Demandez à votre bambin de soulever un sac. Dites-lui de le déposer et d'en prendre un autre.

• Demandez-lui lequel est le plus lourd et lequel est le plus léger.

• Laissez-le soupeser chaque sac avant de vous répondre.

• L'avantage est qu'il peut évaluer le poids tout en voyant la quantité de haricots dans chaque sac.

* * *

Cette activité favorise :
L'éveil aux mathématiques

De 32 à 36 mois

Les insectes

• Montrez des photos d'insectes (mouches, abeilles, fourmis) à votre enfant.

• Allez dehors et délimitez une petite superficie dans la terre en traçant avec un bâton.

• Examinez bien cette surface pour voir si quelque chose y bouge.

• Donnez-lui une loupe pour qu'il puisse chercher des insectes.

• Vous serez étonné par la quantité d'insectes que vous trouverez.

• Allez dans une autre partie du jardin avec la loupe et recommencez l'activité.

* * *

Cette activité favorise :
Les facultés d'observation

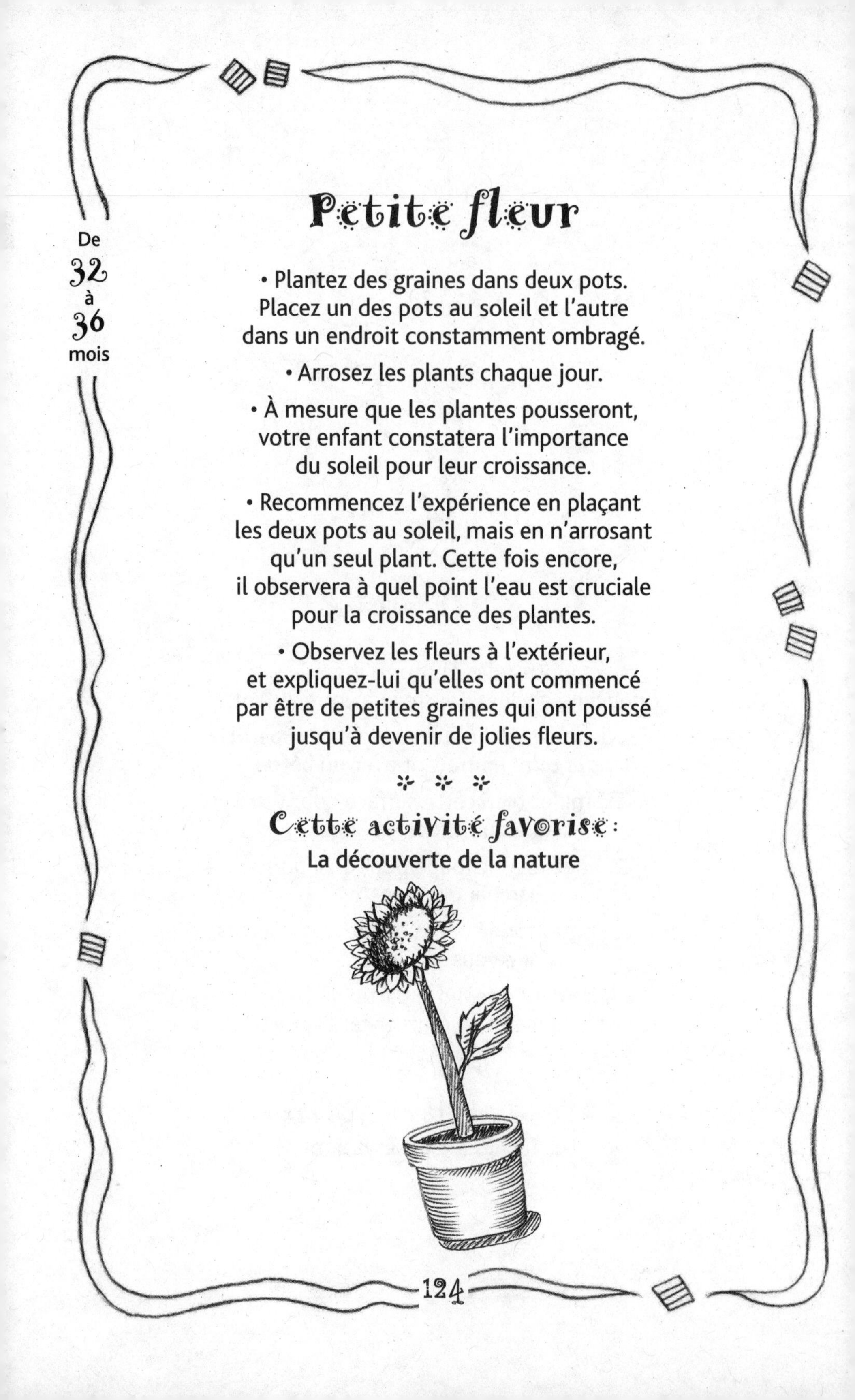

De
32
à
36
mois

Petite fleur

• Plantez des graines dans deux pots. Placez un des pots au soleil et l'autre dans un endroit constamment ombragé.

• Arrosez les plants chaque jour.

• À mesure que les plantes pousseront, votre enfant constatera l'importance du soleil pour leur croissance.

• Recommencez l'expérience en plaçant les deux pots au soleil, mais en n'arrosant qu'un seul plant. Cette fois encore, il observera à quel point l'eau est cruciale pour la croissance des plantes.

• Observez les fleurs à l'extérieur, et expliquez-lui qu'elles ont commencé par être de petites graines qui ont poussé jusqu'à devenir de jolies fleurs.

Cette activité favorise :

La découverte de la nature

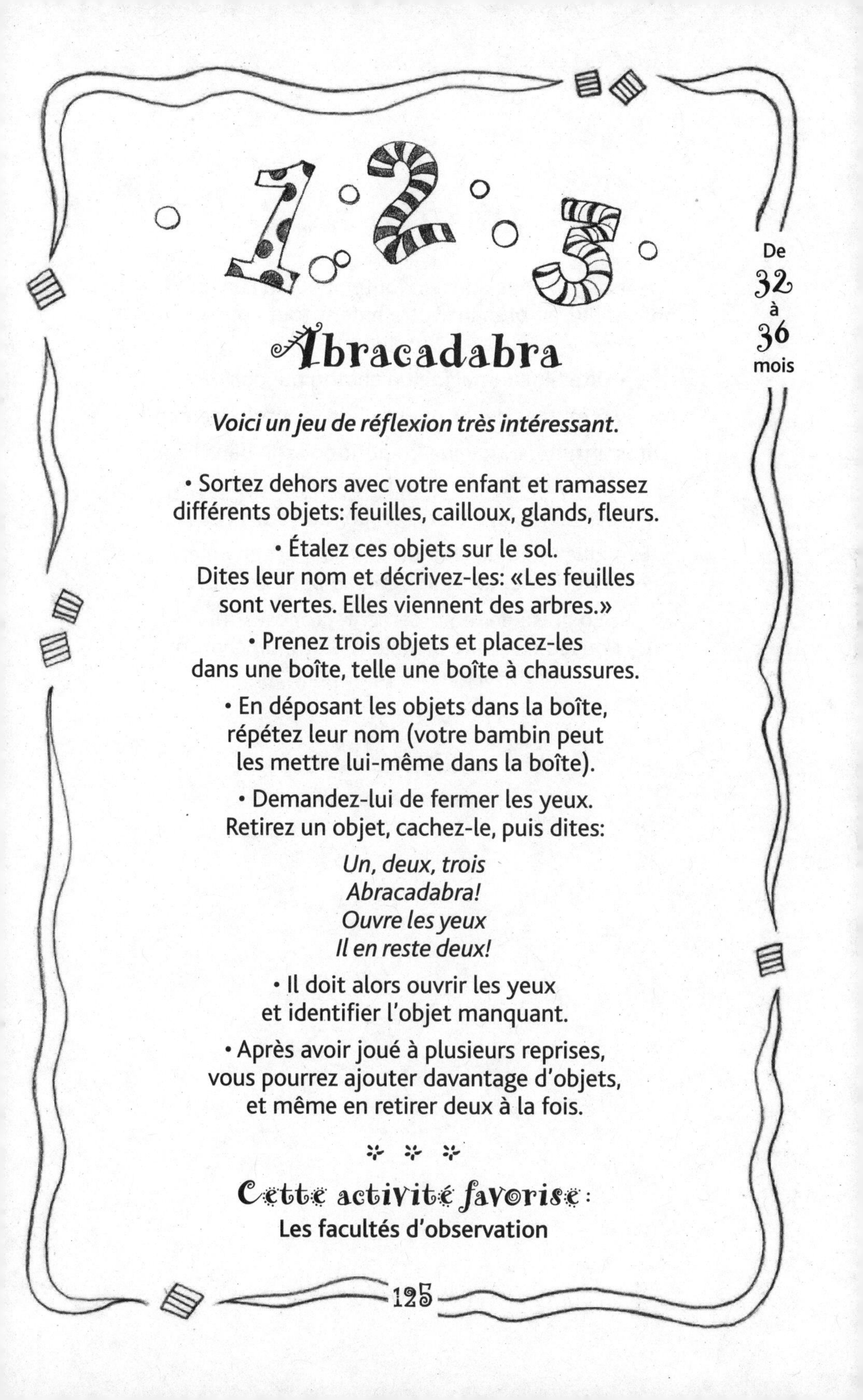

Abracadabra

Voici un jeu de réflexion très intéressant.

• Sortez dehors avec votre enfant et ramassez différents objets: feuilles, cailloux, glands, fleurs.

• Étalez ces objets sur le sol. Dites leur nom et décrivez-les: «Les feuilles sont vertes. Elles viennent des arbres.»

• Prenez trois objets et placez-les dans une boîte, telle une boîte à chaussures.

• En déposant les objets dans la boîte, répétez leur nom (votre bambin peut les mettre lui-même dans la boîte).

• Demandez-lui de fermer les yeux. Retirez un objet, cachez-le, puis dites:

Un, deux, trois
Abracadabra!
Ouvre les yeux
Il en reste deux!

• Il doit alors ouvrir les yeux et identifier l'objet manquant.

• Après avoir joué à plusieurs reprises, vous pourrez ajouter davantage d'objets, et même en retirer deux à la fois.

* * *

Cette activité favorise:

Les facultés d'observation

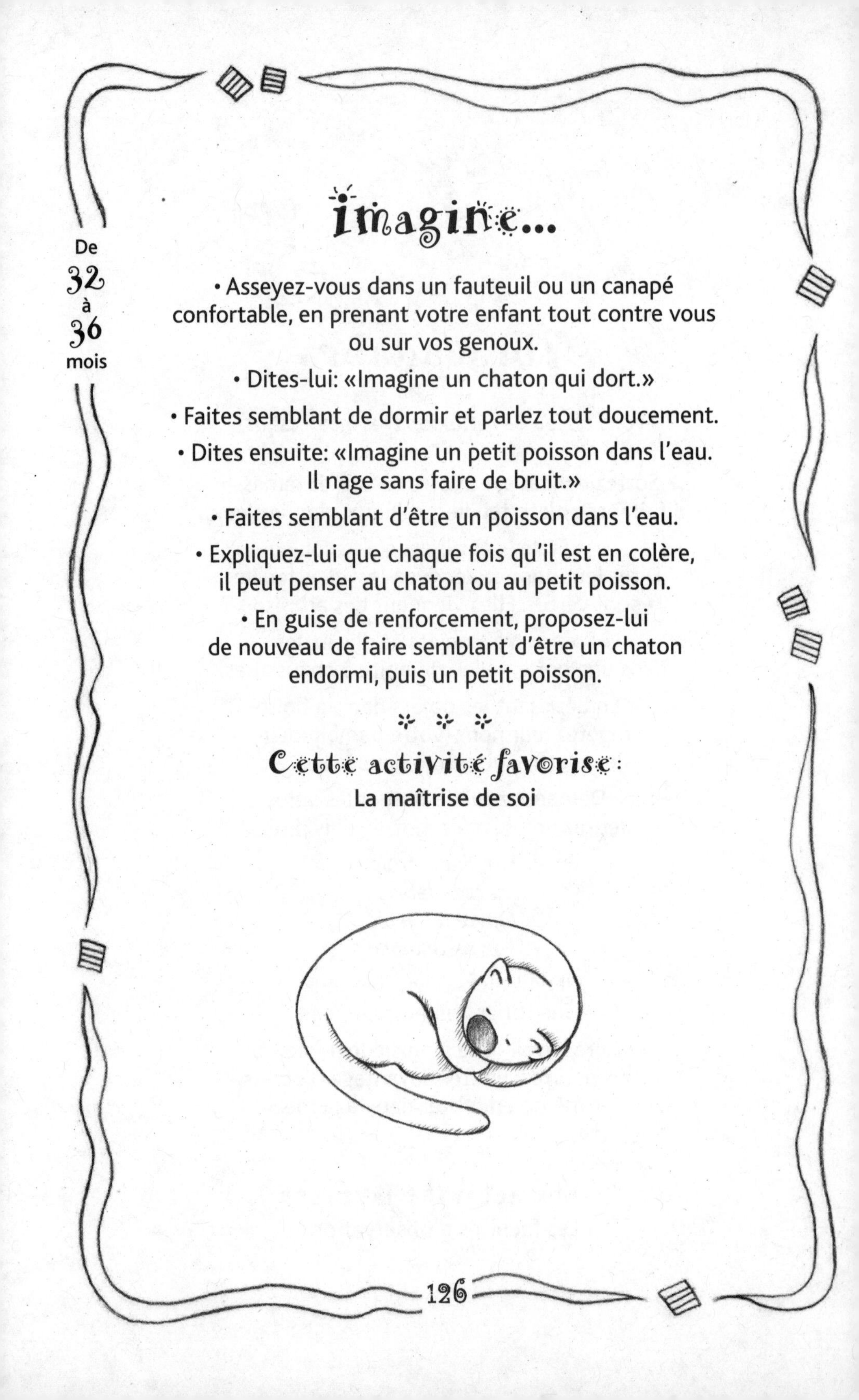

De
32
à
36
mois

Imagine...

• Asseyez-vous dans un fauteuil ou un canapé confortable, en prenant votre enfant tout contre vous ou sur vos genoux.

• Dites-lui: «Imagine un chaton qui dort.»

• Faites semblant de dormir et parlez tout doucement.

• Dites ensuite: «Imagine un petit poisson dans l'eau. Il nage sans faire de bruit.»

• Faites semblant d'être un poisson dans l'eau.

• Expliquez-lui que chaque fois qu'il est en colère, il peut penser au chaton ou au petit poisson.

• En guise de renforcement, proposez-lui de nouveau de faire semblant d'être un chaton endormi, puis un petit poisson.

* * *

Cette activité favorise:
La maîtrise de soi

Achevé d'imprimer sur les presses de
Quebecor World Saint-Romuald.

Imprimé sur du papier Quebecor Enviro 100% postconsommation,
traité sans chlore, accrédité Éco-logo et fait à partir de biogaz.

certifié

procédé sans chlore

100 % post-consommation

archives permanentes

energie biogaz